Maggy Howarth

Kieselstein-Mosaik

Schöne Böden für Wege und Lieblingsplätze

im Garten gestalten

www.oekobuch.de

Die Arbeitsanleitungen und Anwendungsempfehlungen in diesem Buch wurden nach bestem Wissen zusammengestellt. Für die praktische Umsetzung lassen sich daraus jedoch keine Haftungsansprüche gegenüber Autor oder Verlag ableiten.

Die Deutsche Bibliothek – CIP-Einheitsaufnahme

Kieselstein-Mosaik : schöne Böden für Wege, Terrassen und Lieblingsplätze im Garten selbst gestalten / Maggy Howarth. Übers.: Michael Müller. - 1. Aufl. - Staufen bei Freiburg : ökobuch Verl., 2001
  ISBN 3-922964-83-4

Die englische Originalausgabe erschien unter dem Titel *The Art of Pebble Mosaics* bei David Bateman Limited, 30 Tarndale Grove, Albany, Auckland, New Zealand in Zusammenarbeit mit Search Press Limited, Wellwood, North Farm Road, Tunbridge Wells, Kent TN2 3DR

© Maggy Howarth and David Bateman Ltd.

ISBN 978-3-922964-83-4
1. Auflage 2001
3. Auflage 2007

© der deutschen Ausgabe: ökobuch Verlag, Staufen b. Freiburg 2001, 2004, 2007
  email: oekobuch@t-online.de, http:www.oekobuch.de

Übersetzung: Michael Müller, Seattle, Washington, USA
Lektorat und Gesamtgestaltung: Claudia Lorenz-Ladener
Layout: usw. Uwe Stohrer, Freiburg
Druck: Druckpartner Rübelmann, Hemsbach

Inhalt

Dankeschön

Die Autorin dankt allen, die dazu beigetragen haben, daß dieses Werk erscheinen konnte, besonders:

The Winston Churchill Memorial Trust, Escuela Taller Carmen de los Martires in Granada, Escola de Calceteiros in Lissabon, Fernando Batista, José Tudella, Glynn Douglas, Glen Armstrong, John Naylor, Joan Wood, David Hogg, Paul Barnes, Mark Currie, Ula Siegers und nicht zuletzt Boris Howarth.

Die Entwürfe

Die Entwürfe der Autorin in diesem Buch können gerne für private Projekte benutzt werden, kommerzielle Nutzungen jeglicher Art bedürfen jedoch ihrer Zustimmung.

Überall auf der Welt gibt es interessante Kieselstein-Mosaike – die Autorin würde sie sich sehr freuen, von außergewöhnlichen Arbeiten zu erfahren:

Maggy Howarth,
Hilltop, Wennington,
Lancaster LA2 8NY, England.
Fax: +44 15242 74264

Foto- und Abbildungsnachweis

Alle Fotos, außer den nachfolgend bezeichneten, stammen von Maggy Howarth und Boris Howarth: Calvin Cairns (Seite 28), Robert Harding (Seite 9), Peter Hayden (Seite 29 unten links), Lancashire Evening Post (Seite 78); Nick Lockett (Seite 105 (unten); Eduardo Néry (Seite 21); Phil Sayer (Seite 48 unten links); Ula Siegers (Seite 25, 26, 27); Christian Smith (Seite 92); Alistair Snow (Seite 29 oben links); Norman Tozer (Seite 18).

Alle Zeichnungen, außer den nachfolgend bezeichneten, stammen von Maggy Howarth: Paul Barnes (Seite 38, 39, 59, 63, 68 und 81); Mark Currie (Seite 108 links unten); David Hogg (Seite 61, 63, 71, 72, 84); George Howarth (Seite 115); Joan Wood (Seite 97, 98, 99 oben, 101).

Vorwort

Menschen lieben Kieselsteine! Wer Kiesel vom Strand oder aus einem Bachbett in die Hand nimmt, kann ihre sanften Konturen fühlen, ihren Farbenreichtum und die unendliche Formenvielfalt bewundern, geschaffen vom immerwährenden Spiel und der weichen Gewalt von Wind und Wellen. Vom Kind, das einen Schatz aus Kieselsteinen anhäuft, bis zum Philosophen, der die nie endenden Vorgänge der Natur zu ergründen sucht - keiner kann sich der Faszination entziehen.

Vor nicht allzu langer Zeit, als es noch keine schweren Baumaschinen gab, galten Kiesel als wertvoller Rohstoff: Ein einfach zu verwendendes Material, um Häuser mit Böden auszustatten und um Plätze und Straßen zu pflastern. Wo es keine Kieselvorkommen gab, mußten die Steine für Bodenbeläge mit enormem Arbeitsaufwand im Steinbruch gebrochen, geschnitten und zerkleinert werden. Deshalb wurden Kieselsteine überall dort, wo sie zu finden waren, als Bodenbeläge eingesetzt. Sie nützen sich kaum ab, und ihre vielfältigen Formen und Farben erlauben die Darstellung von Ornamenten und Mustern wie sie für Mosaike typisch sind.

Kieselmosaike wurden aber nicht nur als Belag für Böden und Wege verwendet, sondern gelegentlich auch als Bekleidung für Wände. Das echte Kieselmosaik wird aus Kieseln hergestellt, die vom Wasser abgeschliffen sind.

Sie werden eben in den Boden gestampft und die Zwischenräume mit einem feineren Material wie z.B. Sand gefüllt.

Kieselsteine dieser Art sind in Kiesbänken, an Stränden und Flußufern zu finden. Andere Arten von Mosaiken setzen das Schneiden von Steinen bzw. von Glas- und Keramikstücken voraus, die dann zusammengefügt werden. Größere, als Bodenbelag geeignete Steine, werden als Pflastersteine bezeichnet, hierzu zählen auch die gröberen Feldsteine.

Die alten Griechen gehörten zu den ersten, die Mosaikböden aus Kieseln herstellten; eigentlich aber gab es Mosaikböden überall dort, wo das Ausgangsmaterial zu finden war. So wurden bereits vor Jahrhunderten in China Mosaike von großer Kunstfertigkeit geschaffen, ebenso wie während der arabischen Epoche in Spanien. Die Renaissance-Gärten Italiens waren mit Kiesel-Mosaiken gefüllt und die Straßen Nordeuropas damit gepflastert. Schließlich gelangte diese Technik auch über den Atlantik nach Amerika.

Der besondere Reiz eines Kieselmosaiks liegt in der Struktur, die es der Oberfläche verleiht. Auf einem Kieselmosaik läßt sich angenehm gehen, es ist äußerst rutschfest und durch die unterschiedlichen Steine und Muster obendrein sehr reizvoll. Durch Alterung und Verschleiß wird die Oberfläche der Kiesel poliert, was sie noch schöner macht.

Zur Beschäftigung mit Kieseln kam ich durch mein Interesse an der Gartengestaltung. Als ich unseren ländlichen Garten auf einem Hügel in Lancashire anlegte, entwarf ich den Gartenteil vor unserem Haus neu und beschloß, dort ein Pflaster aus Kieselsteinen zu versuchen. Im nordwestlichen England sind auch heute noch in vielen Dörfern und Städtchen kleine Flecken mit feiner Pflasterarbeit zu finden, die ihrer Umgebung einen ruhigen Charme verleihen. Dieser Tradition wollte ich folgen. Dabei wollte ich nicht alle Wege mit Kieseln belegen, sondern lediglich einen kleinen dekorativen Bereich schaffen, zu meinem eigenen Vergnügen und um Besucher einladend zu begrüßen.

Diese erste Arbeit führte zu weiteren Experimenten. Die Kieselmosaike schienen bei vielen Besuchern Anklang zu finden. Wer sie nicht als Kunst betrachtete, freute sich an dem Ergebnis sorgfältiger Handarbeit. Als Künstlerin brauchte ich nicht lange, um die

Möglichkeiten zu erkennen, die das Material bietet, nicht nur zur Verschönerung von Gärten, sondern auch für dekorative Bodenbeläge, die helfen, die Öde moderner Stadtlandschaften zu durchbrechen. Wie oft sind unsere Orte mit gleichmäßig ebenen, praktischen und furchtbar eintönigen Bodenbelägen überzogen, und wie sehr haben wir uns daran gewöhnt, sie zu akzeptieren.

Im Laufe meiner weiteren Arbeit habe ich auch eine Gußtechnik entwickelt, die es ermöglicht, Aufträge in meiner Werkstatt vorzufertigen. Diese Lösung ist praktisch, um die Zusammenarbeit mit Bauunternehmern im ganzen Land besser zu koordinieren; denn auf diese Weise können auch größere Mosaikflächen in wenigen Tagen an ihrem Bestimmungsort zusammengefügt werden. Die traditionelle Art, Kieselmosaike direkt vor Ort zu erstellen, hat aber viele Vorteile: Zum einen kann die Handfertigkeit dafür leicht erlernt werden, auch von jemandem, der es

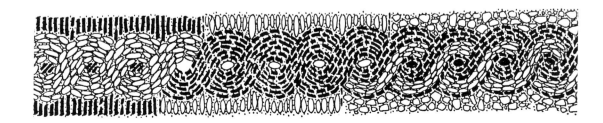

zum ersten Mal versucht; außerdem ist diese Art der Arbeit direkter, spontaner und sehr befriedigend.

Mit diesem Buch will ich versuchen, den Leserinnen und Lesern meine eigene Begeisterung für Kieselmosaike nahe zu bringen. Wir werden verschiedene Arten betrachten, vom einfachen Nutzbelag bis zu ausgefeilten Zierböden für Häuser und Gärten sowie noch einige andere, eng verwandte Mosaikarten.

Für diejenigen, die ihren kostbaren Schatz an Urlaubskieseln verbauen oder nur ein kleines Stück Mosaik für ihren Eingang oder Freisitz haben möchten, sind die Arbeitsvorgänge ausführlich erklärt. Wer nach dem ersten Erfolg Ehrgeiz entwickelt und ein anspruchsvolleres Werk angehen möchte, findet auch hierzu Anleitungen. Die Abbildungen historischer und moderner Mosaike sowie meine eigenen Entwürfe dürften einen ausreichenden Ideenvorrat bieten, aus dem sich auch eigene Themen entwickeln lassen. Meine eigenen Entwürfe können gern für private Arbeiten verwenden: Ich wünsche Ihnen dazu viel Erfolg. (Für gewerbliche Nutzung bitte den Hinweis zum Copyright im Impressum auf Seite 2 beachten.)

Unsere Erwartung an die Gestaltung städtischer Umgebung hat sich gewandelt: Zu spüren ist ein zunehmendes Bedürfnis nach Orten, die dem zwischenmenschlichen Austausch entgegenkommen, nach abwechselungsreichen Freiräumen, nach ansprechenden Oberflächen und guter Gestaltung. Ich hoffe, dieses Buch ermutigt Landschaftsarchitekten und Gartengestalter, gestaltete Kieselflächen in ihre Entwürfe aufzunehmen. Die Individualität und der Charakter von Kieseln in gut entworfenen und handwerklich sauber gelegten Mosaikböden kann einer sonst eher unscheinbaren Umgebung einen eigenen Zauber verleihen.

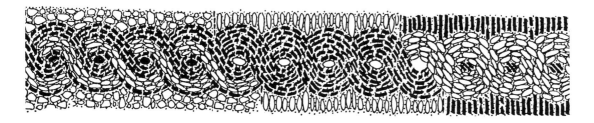

Geschichte der Kieselmosaike

Die Tradition des Kieselmosaiks ist mehrere tausend Jahre alt und wurde aus häuslicher Notwendigkeit geboren. Sie ist Teil der langen und zumeist nicht aufgezeichneten Geschichte des gewöhnlichen Hausbodens.

Ausgrabungen in Spanien und entlang der Mittelmeerküste haben die Bemühungen früherer Völker gezeigt, den Boden, auf dem sie ihre Wohnstätten bauten, mit einem Gehbelag zu versehen. Diese frühen Versuche dienten lediglich dazu, eine feste Oberfläche zu erhalten: Gestampfter Lehm wurde mit Kalk versiegelt, dadurch entstand eine harte Oberfläche, die man kehren konnte, ohne gleich Staubwolken aufzuwirbeln. Leider mußten diese Oberflächen oft ausgebessert werden, wobei immer wieder eine neue Schicht aufgetragen wurde. Der römische Geschichtsschreiber Plinius erwähnt Böden, die mit Kalk und zerkleinerten Tonstücken belegt waren. Wenn man kleine Tonteilchen in den Lehm drückte, verstärkten diese den Boden und dienten gleichzeitig zur Verschönerung. Waren Kiesel zur Hand, boten sie ebenfalls die Möglichkeit, den Boden zu verstärken und zu schmücken – dies ergab eine viel schönere Oberfläche als gestampfter Lehm.

Der älteste erhaltene Kieselmosaikboden wurde in Gordium in Kleinasien gefunden und stammt aus dem achten vorchristlichen Jahrhundert. Er weist ein einfaches Schachbrettmuster auf. Funde in Spanien aus etwa der gleichen Zeit legen die Vermutung nahe, daß ab dem achten vorchristlichen Jahrhundert Kieselmosaikböden, im Mittelmeerraum wahrscheinlich weit verbreitet waren, zusammen mit den weiteren Arten von gestampften Erdböden.

Kieselmosaike im alten Griechenland

Gegen Ende des vierten vorchristlichen Jahrhunderts entstanden in Griechenland Kieselmosaike von erstaunlicher Qualität. Ganz besonders schön sind die von 1955 bis 1963 ausgegrabenen Mosaike von Pella in Nordgriechenland, der Hauptstadt von Mazedonien und dem Geburtsort Alexanders des Großen. Hier sind die mit Kieseln belegten Oberflächen weit entfernt von bloßer häuslicher Zweckmäßigkeit: Die Technik wurde weiterentwickelt und verfeinert, und die daraus entstandenen Oberflächen zeigten die Gestaltungsfähigkeit des Künstlers.

Die Muster stellen Jagdszenen und den Gott Dionysos auf einem Panther reitend dar; sie sind im Stil eng verwandt mit der zeitgenössischen Malerei und dem Keramikschmuck.

Man hatte die menschliche Figur genau studiert und drückte in ihrer Darstellung das Ideal an Schönheit und Kraft aus. Die Jagdszenen halten die Männer im edlen Wettstreit mit ihrer Beute fest: Eine den Göttern gefällige und dem höchsten menschlichen Streben gemäße Beschäftigung. Mit ihrem sehr beschränkten Farbspektrum und durch die Verwendung von sehr kleinen Steinchen zeugen diese Mosaike von einem außerordentlich fein ausgeprägten Kunstempfinden.

Labsal für die Seele

Die chinesische Zivilisation entstand etwa um 3000 vor Christus. Abgesehen vom Handelsverkehr auf der Seidenstraße gab es bis ins 18. Jahrhundert hinein wenig Kontakte mit dem Westen. Dennoch existierten Kieselmosaike dort schon lange Zeit vorher. Als eine Form des harten Bodenbelags wurden sie vor allem in den Gärten des alten China eingesetzt.

Links und rechts
Es lohnt sich, die bei den Kieselmosaiken von Pella in Mazedonien, Griechenland, angewandte Technik genauer zu betrachten: Bleistreifen bilden die Umrisse der Figuren, sie halten die Kiesel fest und definieren gleichzeitig exakt die Konturen und die Hauptlinien. Die Kiesel sind so gewählt, daß alle gleich groß sind und nur eine begrenzte Zahl von Farben vorkommen. Diese Methode ermöglicht es, überaus kunstfertige Kieselböden zu schaffen.
Das „Löwenjagd"-Mosaik von Pella stammt aus dem vierten oder frühen dritten Jahrhundert v. Chr. Die Palastböden von Pella zeigen einige der schönsten Kieselmosaike, die es gibt. Die Figuren sind ausdrucksstark und elegant. Der Stil orientiert sich an den zeitgenössischen Keramikverzierungen, die Ausführung ist makellos sauber und detailreich.

Die Kunst der Gartengestaltung war in China schon vor Beginn des christlichen Zeitalters etabliert. Ihre Wurzeln liegen in der Philosophie des Taoismus und Buddhismus. Ein wesentliches Element dieser beiden Religionen ist die tiefgehende Beschäftigung mit der Natur. Der chinesische Garten wird als ein verkleinertes Abbild der größeren Landschaften der natürlichen Welt empfunden und gestaltet. Alles darin hat eine symbolische Bedeutung, und die Formen müssen ein Gleichgewicht zwischen dem Yin (dem Dunklen, Weiblichen) und dem Yang (dem Hellen, Männlichen) erreichen. Steine, Berge und Wasser, Höhen, Umrisse, Schatten und Sonnenlicht sind mitgestaltende Elemente in diesem Prozess.

Diese alte Tradition ist auch heute noch in einigen privaten Gärten in der chinesischen Provinz Suzhou zu sehen. Während der Sung-Dynastie (960 - 1229) wurde Hangchow chinesische Hauptstadt, und Suzhou eine wichtige Festung. Es war ein Gebiet großen Reichtums und das kulturelle Zentrum Chinas. Viele örtliche Regierungsbeamte setzten sich dort zur Ruhe, bauten Häuser und legten Gärten an. Es gab Wasser im Überfluß und der Tai-See lieferte Felsen, die in komplexen Formen ausgewaschen und zur Gartengestaltung sehr gesucht waren.

Im 16., 17. und 18. Jahrhundert erreichte die Kunst der Gartenanlage einen Höhepunkt, als Aristokraten und Beamte in der Gartengestaltung miteinander wetteiferten. Bei der Gestaltung der Souzhougärten hatten die Kieselmosaikbeläge eine große Bedeutung für die Gesamtanlage. Die geometrischen Muster der Beläge standen im Bezug zu den filigran durchbrochenen „Fenstern" aus Stein und den inneren Gittern der Gebäude und Gartenpavillons. Die Kiesel waren mehr als ein praktischer Bodenbelag im Garten, denn sie nahmen auch einen Rang in der philosophischen Ordnung der Dinge ein, in der Stein in jeglicher Form als spirituelles Sprungbrett der Vorstellungskraft diente. Die Strenge der reich geschmückten „Teppiche" aus Kieseln stand im Kontrast zu den klar geschnittenen architektonischen Formen und zu den großen, grotesk geformten Kalksteinfindlingen, die sorgfältig entlang dem Wasser und an bedeutenden Stellen arrangiert waren.

Ein weiterer Beweis für die Kunst des chinesischen Kieselmosaiks ist im kaiserlichen Palast in Peking zu sehen. Versteckt im Hinterhof sind einige bemerkenswerte Kieselbilder zu finden: sie zeigen einen Kranich, eine Katze, (siehe auch Seite 39 unten) einen Krieger und sogar einen Mann auf einem Fahrrad. Es handelt sich dabei um restaurierte historische Arbeiten mit offensichtlich modernen Hinzufügungen. An ihrer künstlerischen Qualität besteht jedenfalls kein Zweifel. Bemerkenswert an diesen Mosaiken ist der kreative Umgang mit den zur Verfügung stehenden Materialien, mit denen die Bilder geschaffen wurden. Scherben von Dachziegeln sind ganz hervorragend zu Blumenmuster- und Pfauenfedereffekten verarbeitet worden, und zuweilen wurden auch Elemente aus behauenem Stein eingearbeitet.

Neben anderen Kieselbildern sind in chinesischen Gärten gelegentlich ansprechende Blumenmuster zu finden, bei denen die Blütenblätter mit langen, dünnen Kieseln improvisiert werden, während die Stengel aus gebogenen Ziegelscherben bestehen. Kieselmosaike von solcher Freiheit und Spontanität sind selten zu sehen. Sie bilden einen auffallenden Kontrast zu den mit starren geometrischen Mustern versehenen „Teppichen" des angrenzenden Pflasters.

Römische Mosaike

Soweit bekannt ist, wurden im alten Rom keine Kieselmosaiktechniken angewendet; trotzdem verdienen die römischen Mosaike aus bearbeitetem Stein Beachtung. Dabei wurden aus einer Vielzahl verschiedenfarbiger Steine Würfel hergestellt, sogenannte Tesserae, und in ein Mörtelbett aus Kalk, zerkleinerten Backsteinen und Wasser gesetzt. Manchmal mischte man auch Vulkanasche (sogenannte Puzzolane) bei, um eine Bindefähigkeit vergleichbar mit dem heutigen Portlandzement zu erreichen. Das Muster wurde zunächst in das Mörtelbett geritzt; nachdem die Tesserae darauf ausgelegt waren, verfüllte man die Fugen mit einer Mischung aus Kalk und zerstoßenem weißen Marmor. Die technische Ausgereiftheit, die höchste Ansprüche an die handwerkliche Sorgfalt stellte, wird nicht zuletzt durch das Überleben so vieler römischer Mosaike belegt.

Die Böden einer römischen Villa bei Coimbra in Portugal sind mit Tesserae-Mosaiken verziert. Die Gestaltungsvielfalt römischer Mosaike ist enorm; sie bieten eine reiche Fundgrube für kreative Raumaufteilung und zeigen ausdrucksstarke Motive für Einfassungen, die man auch für Kieselmosaike nützen kann.

Dieser wunderschöne Weg in den Gärten des Generalife in Granada, Spanien, zeigt die Möglichkeiten eines Vor-Ort-Entwurfs – man zeichnet dabei mit dem Finger oder Stock direkt in den Sand und bestimmt so die Hauptlinien des Musters. Diese Technik erlaubt dem Mosaikbauer, ganz intuitiv auf den Raum zu reagieren; man kann eine Blume in die Ecke drehen oder eine Linie um einen Baum schlingen. Dies macht den Charme eines handgefertigten Belags aus, und mit nur wenig Mehraufwand lassen sich Details in die örtlichen Gegebenheiten einfügen.

aus den genau beobachteten Portraits von Menschen sowie den realistischen Vogel- und Tierstudien läßt sich viel über die römische Kultur lernen, über die körperliche Tüchtigkeit und die militärischen Leistungen der Römer, über ihre Liebe zur Jagd und zu einem üppigen Lebenstil. Mehr noch, römische Mosaike liefern ausgezeichnete Gestaltungsinspirationen, und ihre Muster können oft auch für Kieselmosaike verwendet werden.

Maurisches Spanien

Während die römischen Villen und Paläste üblicherweise mit Tesseraemosaiken aus Marmor ausgeschmückt waren, blieb im maurischen Spanien die Tradition des Kieselmosaiks lebendig. Vom sechsten bis zum vierzehnten Jahrhundert war das arabische Königreich Andalusien ein Zentrum von Kultur, Kunst und Wissensvermittlung. Die Menschen in den mittelalterlichen Städten Cordoba, Sevilla und Granada waren berühmt für ihre Kenntnisse in Medizin, Bewässerung, Landwirtschaft, Philosophie und Mathematik. Andalusien war äußerst wohlhabend; Waffen, Schmiedeeisen, Emaille, Edelsteinschmuck, Goldschmiedearbeiten, Textilien und Keramik wurden dort hergestellt und im ganzen Mittelmeerraum gehandelt. Die Universität von Cordoba hatte Weltrang, und viele Christen aus Westeuropa studierten Seite an Seite mit moslemischen Studenten. Es gab kostenlose Grundschulen für arme Kinder, so daß sogar Bauern lesen und schreiben konnten, während im restlichen Europa selbst Könige und Edelleute oft Analphabeten waren.

Es gab genügend Sklaven, die die kleinen Würfelchen zurechtschnitten und die mühsame Kunst beherrschten, sie zusammenzufügen. Reiche Römer schmückten ihre Häuser mit Vorliebe mit aufwendigen realistischen Bildern und vielen geometrischen Mustern. Ihre Künstler und Handwerker waren Meister der Gestaltung: Sie unterteilten die Böden durch ineinandergreifende Formen, definiert durch größere und kleinere Rahmen, die oft Szenen aus dem Leben der Götter, der Sterblichen und der Tiere enthielten. Solche schön gearbeiteten Mosaikböden waren im gesamten Römischen Reich zu finden, und

Diese zivilisierte Gesellschaft war das Ziel vieler christlicher Kreuzzüge. Nach und nach zerfiel Andalusien in kleinere Königreiche, und schließlich fiel Granada 1492 an König Ferdinand V. Damit waren die Mauren besiegt und Spanien unter christlicher Herrschaft vereinigt; Aber die arabische Kunst, Literatur und Wissenschaft hinterließen eine tiefe und bleibende Prägung in der spanischen Kultur, die bis heute spürbar ist.

Die Atmosphäre von Bildung und Wohlstand brachte die Gartenkunst zum Blühen. Sie beruhte auf der Idee vom irdischen Paradies, von Ruhe, Schönheit und der Verfeinerung der Sinne. Unter der heißen mediterranen Sonne war das Paradies gleichbedeutend mit Schatten, wohlriechenden Pflanzen und kühlem Wasser. Es entstand eine hervorragende Kunstfertigkeit, nicht nur zur Kultivierung von Pflanzen, sondern auch in der Einfassung von Wasser, um Brunnen, Becken und kleine erfrischende Kanäle zu erschaffen. Pfade, geschmückt und aufgelockert mit Kieselmosaiken, führten zu ihnen und bestimmten die Geometrie des Gartens.

Da es im Islam grundsätzlich nicht erlaubt ist, Menschen abzubilden, konzentrierte sich die darstellende Kunst des Islam auf andere Objekte. Auf der einen Seite entstand aus dem geschriebenen Wort die abstrakte Kunst der Kalligraphie, auf der anderen Seite führte die Mathematik zur Entwicklung komplexer, ineinander verwobener geometrischer Muster. Maurische Wege und Innenhöfe waren mit aufwendigen Mustern und komplexen Oberflächenstrukturen versehen. Die besten Beispiele dafür findet man in den Gärten der Alhambra und des Generalife in Granada.

In der andalusischen Tradition überwiegen die graphischen Muster, aber es gibt auch eine Anzahl ansprechender, frei gezeichneter Blumendesigns, die einen reizvollen Gegensatz zur früheren starren Geometrie bilden und ihre Verzweigungen auf eine ungezwungene und anscheinend spontane Art weit in den Raum strecken.

Die Tradition des Kieselmosaiks überlebte den Untergang des arabischen Reiches. Auch heute noch gibt es in vielen Städten und Dörfern Südspaniens Schmuckpflaster aus Kieseln, aber nur wenige davon reichen an diejenigen der Alhambra heran.

Kieselmosaike in der italienischen Renaissance

Die Renaissance, die Blütezeit künstlerischer und wissenschaftlicher Entfaltung in Europa, und die Wiederentdeckung der klassischen griechischen und römischen Kultur brachte einige bemerkenswerte Gärten hervor, die in der Zeit vom 14. bis zum 17. Jahrhundert entstanden. Italienische Gestalter bevorzugten Kieselmosaike als Außenbelag, sowohl für Böden als auch für Wände. Sie schufen Terrassen, große Treppenfluchten mit Geländern, Grotten, Nymphäen (den Nymphen geweihte Brunnenhäusern) und komplexe Wasseranla-

gen mit Kaskaden, Fontänen und Becken mit stehendem Wasser. Architektur war äußerst wichtig und überall gab es Statuen (oft ganze Sammlungen antiker Skulpturen). Zypressen wurden gepflanzt, um schattige, kühle Gehwege zu erhalten, sie bildeten zusammen mit sorgsam geschnittenen Ziersträuchern den Hintergrund für die Architektur. Diese Gärten sind ein großartiges Denkmal für die Beherrschung der Natur durch den Menschen. Sie drücken Größe aus, eine Liebe zum Luxus und überschäumende Energie.

Das Kieselmosaik, das über Jahrhunderte in einfacher häuslicher Tradition überlebt hatte, wurde nun in großem Stil als Schmuckbelag in vornehmen Gärten wieder erschaffen.

Einige der besten Arbeiten sind in der Toskana zu finden, wo mit Kieselmosaiken Treppen und Terassen kunstvoll gestaltet wurden. Sehr beliebt waren sie auch als Bodenbelag in Grotten, in jenen modischen Gartenanlagen, wo der unachtsame Besucher manchmal von Wasserdüsen naß gespritzt wurde, die in Nischen oder Statuen verborgen waren. Die bemerkenswert sorgfältige handwerkliche Ausführung findet ihre Bestätigung in der Haltbarkeit der Mosaike im Garten der Villa Torrigiani bei Lucca, der aus der Mitte des sieb-

Geometrische und florale Muster auf den Gartenwegen der Villa Garzoni in der Toskana, Italien

zehnten Jahrhunderts stammt. Die Arbeit ist an manchen Stellen durch die Verwendung sehr kleiner Kiesel mit weniger als 25 mm Durchmesser äußerst fein strukturiert. Kieselarbeiten dieser Größe stellen eine enorme Leistung hinsichtlich Können, Ausdauer und Geduld dar.

Seite 14
Die Gartenwege im Generalife in Granada, Spanien, weisen eine Vielzahl von Mustern, Rosetten, Pflanzenformen, Wellenlinien und Rauten auf, für die vermutlich einfache Formen und Schablonen benützt woden sind. Die Mosaike bestehen gewöhnlich aus nur zwei Farben – Schwarz und Weiß. Zwei Steinarten wurden verwendet: längliche schwarze Kiesel, üblicherweise im Fischgrätmuster angeordnet, so daß die gezeichneten Linien dynamisch erscheinen, und rundlichere weiße Steine, die einen wirkungsvollen Hintergrund bilden.

Italienischer Einfluß in Nordeuropa

Die italienische Gartengestaltung hatte einen beträchtlichen Einfluß auf die Entwicklung großer Gärten in ganz Europa, und ihre Details wurden oft nachgeahmt. Im 18. und 19. Jahrhundert unternahmen junge Herren oft-

mals als Teil ihrer Erziehung eine große Reise durch die europäischen Städte und ganz besonders durch die Italiens. Dabei wurden sie von einem kenntnisreichen Tutor begleitet und besuchten von Granada bis Sevilla, von

Rom bis Florenz Villen und Paläste, um die Kunst und Architektur der Renaissance zu studieren. Man kann sich leicht einen jungen Mann vorstellen, der nach Hause zurückkehrt und auf dem heimatlichen Besitz etwas von den unterwegs gesehenen Schönheiten wieder erschaffen möchte. Manches Fremdartige geriet sicherlich in Vergessenheit, aber das Arbeiten mit Kieselsteinen war auch zu Hause üblich, wenngleich nicht so kunstfertig. Nur Inspiration und Gestaltungswille waren nö-

tig, um Kieselmosaike auf dieses neue Niveau zu heben.

Wie sonst läßt sich das außergewöhnliche Mosaik in *Whitehaven Castle* erklären, das nachweisbar vor dem Jahr 1740 entstanden sein muß? Hier scheint der italienische Stil auf einen landestypischen, gepflasterten Hof übertragen worden zu sein. Geometrische Sterne und Girlanden sind auf recht exzentrische englische Art miteinander verbunden,

Der restaurierte Stallhof in Whitehaven Castle, Cumbria, England.
Das gut erhaltene Kieselpflaster ist über 250 Jahre alt.

und ein Rudel der Lieblingsjagdhunde des *Earl of Lonsdale* galoppiert um alles herum. Verglichen mit italienischem Mosaik ist die Ausführung grob, aber die langwährende Haltbarkeit beweist die solide Ausführung der englischen Handwerker. Verwendet wurden drei Farben: Roter Sandstein, blaugrauer vulkanischer Stein und weißlicher Quarz, die alle an nahegelegenen Stränden zu finden sind. Ein weiteres Beispiel aus derselben Zeit findet man in den Ställen von *Levens Hall in*

Cumbria, das für seinen bemerkenswerten holländischen Ziergarten bekannt ist.

Große englische Landsitze wie etwa *Stourhead* hatten kiesbelegte Böden in Grotten und Nymphäen. Ausgedehnte Mosaike sind auch auf den im neunzehnten Jahrhundert im italienischen Stil angelegten Treppen und Terassen in *Powerscourt* in Irland zu finden; sie bilden einen Teil des langen Blicks vom Haus zum See und zur dahinter-

Das schwarz-weiße Kieselmosaik bei Powerscourt, County Dublin, in Irland steht in starkem Kontrast zu den üppigen grünen Konturen dieses irischen Landschaftsgartens.

17

liegenden Landschaft. Die geometrischen Muster aus Kreisen, Sternen und Halbmonden mit breiten weißen Rändern tragen die Jahreszahl 1875. Bei der Übertragung von Italien nach Irland ging jedoch einiges verloren. Die Muster wirken eher langweilig, obwohl Ort und Absicht großartig sind.

Europäische Stilrichtungen inspirierten auch die Gestalter amerikanischer Gärten, und obwohl diese nur wenige künstlerische Kieselarbeiten enthalten, gibt es ein faszinierendes Beispiel in den Gärten von *Dumbarton Oaks* in der Nähe von *Washington D.C.* Dort wurden an mehreren Stellen

Kiesel verlegt, besonders kunstvoll in einem originellen Wasserspiel. Kiesel formen den Boden eines seichten Beckens, das durch geschwungene Steinwände in eine Art Wasserbeete unterteilt ist. Es ist die Schöpfung der bekannten amerikanischen Designerin Beatrix Farrand. Das Konzept des formellen vornehmen Wassergartens ist verwoben mit zarten Linien und ansprechender Struktur. Die Kiesel, wenngleich ganz einfach, wurden in sehr schönen kreisbogenförmigen Linien angeordnet und unterstreichen die Form der einzelnen Segmente des Beckens.

Landestypische Traditionen

Man kann sich schwer vorstellen, aus welchen Materialien der Belag von Straßen und Wegen vor dem Aufkommen von Asphalt und Beton hergestellt worden ist. Die Römer, die ausgezeichnete Straßen durch ganz Britannien und andere Außenposten ihres Reiches bauten, benutzten mehrere ebene Lagen Stein, die mit behauenen Steinblöcken oder Pflastersteinen belegt waren – eine haltbare Technik. Der Luxus dieser großartigen Straßen ging mit dem Untergang des Reiches verloren. Reisen im Mittelalter gerieten zum Alptraum, zum Kampf mit ausgefahrenen Spurrillen, knietiefem Morast oder gewaltigem Staub. In England zum Beispiel ermöglichte erst der Bau gebührenpflichtiger Straßen im achtzehnten Jahrhundert dem rollenden Verkehr wieder das Bewältigen nennenswerter Strecken.

In großen Städten wurden die Straßen für viel Geld mit Steinplatten belegt, während sich die weniger begüterten Kleinstädte und Dörfer mit dem kleineren und unebenen Steinpflaster begnügen mußten. Dabei sieht eine gut gepflasterte Straße nicht nur optisch gut aus, sondern hat durchaus auch einen praktischen Gebrauchswert. Trotzdem war es für die Bürger jener Zeit sicher kein großes Vergnügen, mit einer Pferdekutsche darüber zu rasseln oder über einen der ab und zu erhabenen Steine zu stolpern und der Länge nach in ein Pfütze zu fallen.

Viele der alten Pflaster existieren noch, begraben unter einem Belag aus Asphalt oder Beton, der nach seiner Einführung dankbar aufgenommen wurde. Der motorisierte Verkehr trug zu dieser Veränderung in erheblichem Maße bei. Heutzutage muß man schon Glück haben, um in der Umgebung noch ein gepflastertes Stück Straße zu finden. In ländlichen Gegenden leisteten konservative Ansichten solcher Veränderung mehr Widerstand, so daß im Umfeld von Bauern- und Landhäusern, um Kirchen und Nebengebäude noch bescheidene Flecken mit einfachen Kieselarbeiten zu finden sind, an Orten eben, wo die Menschen bemüht waren, ebene Oberflächen und gleichmäßige Strukturen zu schaffen. Die ruhigen gestalterischen Qualitäten, die sie dabei schufen, bewahrten die Mosaike vor Zerstörung.

Die Materialien, die sie benutzten, sind von Ort zu Ort unterschiedlich. Meistens nahm man Steine, die gerade zur Hand waren und von der Größe her paßten. Kleine, aus den gepflügten Feldern gesammelten Steine wurden häufig um Bauernhöfe herum verlegt, wo Wege mit einer billigen und harten Oberfläche nötig waren, die das Vieh nicht gleich in Morast verwandelte. Für feinere Arbeiten wurden gleichmäßig sortierte und zueinander passende Kieseln aus Flüssen, Bächen und von Stränden gesammelt und an den gewünschten Ort transportiert. Solche feineren Kieselbeläge erfordern einen nicht unbeträchtlichen Arbeitseinsatz und ihre Eigentümer waren natürlich stolz auf sie.

Tatsächlich findet man dort die besten Arbeiten, wo das Rohmaterial reichlich vorhanden ist. Bei *Lytham S. Annes* in Lancashire in England kann man einige gut erhaltene Pfla-

Die Besitzer dieses Hauses aus dem 18. Jahrhundert auf Castle Hill in Lancaster, England, machten sich die Mühe, ausgewählte Kiesel aus einer beträchtlichen Entfernung heranzuschaffen, um den Eingangsbereich im Schachbrettmuster zu pflastern.

Rechts:
Volkstümliche Motive wie diese Windmühle und Anker sind im Strandpark von Lytham St Annes, England, zu finden. Sie entstanden um das Jahr 1910, als das Gelände des aufstrebenden Ferienortes erweitert wurde.

Allein durch die unterschiedliche Ausrichung der Steine erhielt dieser schlichte, mit Kieseln gepflasterte Weg in der Nähe der Estate Cottages bei Traquair House in Schottland ein einfaches Muster.

ster sehen, und vielleicht war ja einst dieses ganze Fischerdorf aus dem achzehnten Jahrhundert damit gepflastert. Zu dieser Zeit war das Küstengebiet vollgepackt mit den elliptischen, flachen Steinen, die sich für Kieselmosaike am besten eignen.

Als Motive wurden entsprechend den visuellen englischen Vorlieben einfache plakative Bilder gewählt, beispielsweise ein schönes Segelschiff, eine Windmühle, ein Herz, eine Krone, ein Anker. Die Mosaike waren einfach gemacht und leicht zu erkennen, auch wenn die Arbeit von einer ungeübten Hand ausgeführt war.

Gelegentlich wurde diese Art von Gebrauchspflaster von Gartenbesitzern für eine weniger volkstümliche Umgebung übernommen. So schmückt ein Mosaik mit rotem Herz als immer wiederkehrendes Motiv beinahe jeden Eingang des *Pitmedden House* im schottischen Gebiet Grampia, wobei das Emblem des Familienwappens flächig in große gespaltene Pflastersteine gesetzt wurde.

Bearbeiteter Stein in Portugal

Die überall zu findenden Mosaikbeläge in Portugal sind streng genommen keine Kieselmosaike, sondern aus behauenen Steinblöcken gelegt. Die portugiesische Kultur wurde von der Besetzung sowohl durch Römer als auch durch die Mauren beeinflußt. Beide Völker hinterließen in vielen kulturellen Bereichen ihre Spuren, nicht zuletzt in der Vorliebe für gestaltete Böden und Pflasterungen. Durch die starke Eigenständigkeit aufgrund der Randlage auf der iberischen Halbinsel konnte hier jedoch eine ganz neue Form entstehen. Da geeignetes Material (harter Kalkstein) im Überfluß vorhanden war, erfanden die Portugiesen ihren eigenen Stil des Steinmosaiks, indem sie kleine Steinwürfel mit etwa 50 mm Kantenlänge eng aneinander verlegten. Diese Technik erforderte das Behauen der kleinen Blöcke zu präzisen Formen, macht dafür aber auch sehr genau gezeichnete Bilder möglich. Alles in allem ist es keine leichte Kunst: Der Steinblock wird in der einen Hand gehalten und mit der scharfen Kante eines Hammers werden passende Steinsplitter abgespalten, um daraus die Dreiecke und Sechsecke zu formen, die für die verschiedenen Stilarten gebraucht wurden.

Portugiesische Motive bieten viele Anregungen für Kieselarbeiten. Oft spiegeln sie die stolze Seefahrertradition dieses kleinen Landes wider, deren Schiffe von König Heinrich dem Seefahrer ausgesandt wurden, um die Welt zu erforschen. Neben gemusterten und geometrischen Motiven und Inschriften findet man Schiffe, Fische, Wellenlinien und Delphine.

Steinpflaster

In nordeuropäischen Ländern ist die Verwendung von Pflastersteinen als Belag weit verbreitet. Pflastersteine sind behauene Steinblöcke, üblicherweise aus Granit, die einen sehr verschleißfesten Belag bilden. Viele Besucher Europas bewundern die schönen, kreisförmigen Fächer auf den Straßen und Plätzen, die aus solchem sorgfältig sortierten Material gelegt sind. Für das Verlegen dieser Muster sind Steine verschiedener Größen nötig, die

in speziellen Steinbrüchen hergestellt werden. Falls erforderlich, wird jeder Block vor Ort noch weiter bearbeitet.

Die Pflastermuster in Deutschland bestehen aus Steinen in verschiedenen Farben: rot, hell- und dunkelgrau, hellbraun, weiß, schwarz und sattgelb. Die sorgfältig ausgearbeiteten geometrischen Motive, die mit großer Präzision gelegt sind, haben eine

gewisse Ähnlichkeit mit der portugiesischen Technik, sind aber von strengerem, ernsteren Charakter. In der Tat sind die einzelnen Pflastersteine nur wenig größer als beim portugiesischen Stil, was angesichts der großen Härte des verwendeten Granits bemerkenswert ist.

Moderne Kieselmosaike

Mit Ausnahme von Spanien und Portugal war die Kunst des Zierpflasters in den letzten Jahren nicht mehr sehr gefragt. Sogar in Spanien kämpft man um den Erhalt bestehender Pflasterstücke und darum, den für die Konstruktion neuer Mosaike nötigen Nachwuchs zu schulen. Die Arbeit wurde schlecht bezahlt und war nicht sehr hoch angesehen. Unter der Schirmherrschaft des spanischen Arbeitsministeriums und mit Hilfe von EG-Geldern und Fördermittel für Arbeitsprogramme bildet die Schule von *Carmen de los Martires* in Granada heute neue Handwerker aus. So konnten einige Wege und Plätze in den letzten Jahren mit Kieselmosaik-Pflaster versehen werden, und es ist zu hoffen, daß der lobens-

Seite 22
Ein Mosaikbelag auf der Praca de Republica im portugiesischen Redondo. Eduardo Néry, ein zeitgenössischer Künstler, gestaltet öffentliche Plätze und verwendet dabei die traditionelle Mosaiktechnik. Als Künstler gehört er ganz und gar zum 20. Jahrhundert und zeigt in seinen herrlichen, abstrakten Mustern eine große Leichtigkeit; dennoch folgt seine Arbeit der Tradition klarer „optischer" Effekte, wie dies etwa im wellig gemusterten Pflaster des Rossio in Lissabon sichtbar wird, das bereits aus dem Jahr 1848 stammt.

werte Versuch, diese Handwerkskunst zu retten, weiter Bestand hat.

Die spanische Tradition des Kieselmosaiks besteht allerdings größtenteils im Kopieren alter Motive. Es gibt nur wenig Innovation. Künstler geben sich mit einem solchen profanen Ausdrucksmittel nicht ab, und die Handwerker halten sich an die Sicherheit des Althergebrachten. Eine erfrischende Ausnahme bildet die Arbeit des Pflasterlegers *Raphael Gimenez* aus Cordoba. Er nimmt schöne, aus den traditionellen Formen abgeleitete Motive auf und realisiert sie mit eigenem Stil, frisch, unaffektiert und in meisterlicher Ausführung. Er hat in vielen privaten Gärten der reichen Vorstädte Cordobas Mosaike gestaltet und führte

Ein ansprechender, neu angelegter, öffentlicher Platz: Das Kieselmosaik auf der Plaza del Campo del Principe in Granada, Spanien, wurde von der Escuela de Carmen de los Mantires gelegt. Zur Gestaltung wurden traditionelle Motive verwendet, wobei die Art der Raumaufteilung modern wirkt. Beachtenswert ist der angenehme Eindruck, wenn Bänke und Straßenlaternen in die Gestaltung integriert sind.

Ein schönes zeitgenössisches Kieselmosaik von Raphael Gimenez beim Viana Palace in Cordoba, Spanien, das kontrastreich mit kleinen Kieseln ausgeführt wurde.

außerdem an öffentlichen Plätzen Restaurierungsarbeiten aus, besonders am historischen Viana-Palast. Seine Arbeiten verkörpern den höchsten Standard der Handwerkskunst. Ganz ähnlich werden auch in Lissabon in Portugal von der Stadtverwaltung Anstrengungen unternommen, junge Männer in der Weiterführung der Tradition auszubilden. Wie Spanien kann auch Portugal einen eigenen modernen Pflasterkünstler aufweisen. *Eduardo Néry* hat in bewundernswerter Zusammenarbeit mit zeitgenössischen Architekten großflächige landschaftliche Anlagen mit Mosaikbelägen entworfen. Er knüpft an die Tradition kühner, optischer Muster an, die er mit sicherer und weitreichender Kenntnis abstrakter Fomen neu erschafft und mit einem eigenen witzigen

Stil verbindet, der architektonische Anspielungen enthält.

Die portugiesische Pflastertechnik ist auch in Brasilien bekannt. Brasilianische Mosaike sind durch ihre modernen, abstrakten Entwürfe aber längst über das Stadium eines importierten Kolonialstils hinausgewachsen. Die Werke von *Roberto Burle Marx* sind international bekannt, besonders die Mosaike entlang dem Strand der Copacabana in Rio de Janeiro.

Sicherlich gibt es nur relativ wenige Menschen, die die Kunst des Kieselmosaikpflasterns als Beruf ausüben. Dennoch haben Kieselmosaike nichts von ihrem Reiz verloren, und es ist zu hoffen, daß Künstler und Handwerker auch weiterhin neue und anregende Formen und Muster entwickeln.

Seiten 25, 26 und 27

Gartenmosaike der Kieselstein-Gestalterin Ula Siegers. Selten arbeitet sie mit einem detaillierten Entwurf; vielmehr versteht sie ihre Arbeit als spontane Antwort auf die charakteristischen Qualitäten der Steine in ihrer Hand. Sie erfindet eigene Muster, die frei von einem Motiv zum anderen fließen. Ula Siegers sammelt Steine, sortiert sie und setzt sie dann wie Teile eines Puzzles zusammen.

Kieselsteine sind für sie ein ideales Ausdrucksmittel: „Als ich begann, mit Kieselsteinen zu arbeiten, hatte ich das Gefühl, eine große Entdeckung gemacht zu haben."

Inzwischen gestaltet sie Tischoberflächen, Wand-Dekore und Bodenbeläge in Raumen. Dies hat den Vorteil, daß die subtilen Details ihrer Arbeit besser zur Geltung kommen. Einzelne, ausdruckstark geformte Kieselsteine inspirieren sie zur Umsetzung von Tierfiguren wie beispielsweise Insekten oder Reptilien, die sich teilweise als Relief aus der Mosaikfläche erheben.

Im Laufe ihres Schaffens hat Ula Siegers mit verschiedenen Steinformaten experimentiert und ist derzeit auf äußerst filigrane Minitur-Kieselmosaike spezialisiert.

Kontakt: Ula Siegers, Hillenkamp 31,
D 41372 Niederkrüchten, Fax: 02163-873461.

Seite 28

Der Dr. Sun Yat-Sen Garten in Vancouver, Kanada, wurde für die Expo 1986 geschaffen. Dieser einzige chinesische Großgarten im klassisch-traditionellen Stil außerhalb Chinas wurde von einem Team aus 52 Handwerkern aus der Provinz Suzhou gestaltet. Die angewandte Kieseltechnik ist nicht nur sehr interessant, sondern auch äusserst praktisch für die Konstruktion sich wiederholender geometrischer Motive. Der Boden wird flachgestampft und dann mit einer 50 mm starken Lage gesiebter Erde bedeckt, in die die Steine gebettet werden. Zunächst werden die geometrischen Formen mit Streifen aus geschnittenem Schiefer umrissen, dann die sorgfältig gewählten Kiesel in vier unterschiedlichen Farben verschieden ausgerichtet in die jeweiligen Felder gelegt.

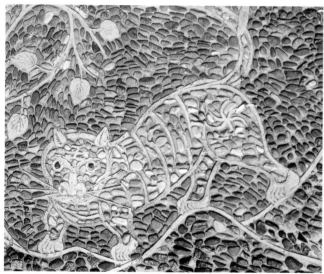

links oben: Die klare Silhouette des Wappenlöwen wirkt dadurch lebendig, daß die Kiesel der Mähne im Fischgrätmuster gelegt sind, durch den realistisch wirkenden "Augenstein" und durch die bedrohlichen Zähne, die aus hartem weißen Marmor geschnitten wurden. Der Hintergrund aus weißen Kalksteinkieseln bildet einen guten Kontrast zur Hauptfigur.

rechts: Die große Dynamik in diesem Mosaik wird durch die fließenden Formen erreicht.

links unten: Kieselbild im „Hinterhof" des kaiserlichen Palastes in Peking, China. Der Umriß der chinesischen Katze ist aus bearbeitetem Stein „gezeichnet", wobei Ohren, Gesicht und Pfoten mit ausdrucksstarken Details herausgemeißelt wurden. Der Katzenkörper ist mit verschiedenfarbenen Kieseln ausgefüllt, um die Zeichnung eines getigerten Felles anzudeuten.

Seite 30

Eine Auswahl an Kieseltypen.

Obere Reihe (von links): Lange flache Steine, auch „Hüpfer" genannt: dunkle vulkanische Kiesel, Kalkstein, feinkörniger Granit.

Mitte links (im Uhrzeigersinn von oben links): Abgeflachte Steine: Sandsteine, feinkörniger Granit, Basaltarten.

Mitte rechts: Rundliche Steine: Quarz mit rosafarbenem, feinkörnigem Granit geädert, Kalkstein, braune Feuersteine.

Mitte: Kantiges Steinbruchmaterial: italienisches Quarzit (oben), schwarze Basaltarten, grobkörniger roter Granit, in Streifen geschnittene Keramikfliesen, weißer Quarz.

Mitte unten: Fliesen und Steinstreifen: in Streifen geschnittene Keramikfliesen, Keramikscherben, gespaltener Schiefer.

Unten: Farbige Steine: verschiedene Granitarten, harter roter Sandstein, gelber und weißer Quarz, gelber Ocker und roter Porphyr.

Die Gruppen sind durch maschinell gesägte bzw. gespaltene Schieferplatten voneinander getrennt.

oben:

Ungewöhnliche Steine und andere Materialien (von links):

Obere Hälfte: Box mit kleinen Kieseln für besondere Zwecke, in der keramischen Industrie verwendete Schamotteprismen, Kies (kommerzieller weißer Feldspat oben, erbsengroße Feuersteinkiesel unten), Box mit bunten Smalten aus Glas, Box mit 'Regulox' (kleinen weißen Marmorkieseln) und größeren Exemplaren.

Untere Hälfte: Verschiedene Steine „mit Charakter", die sich für ganz spezielle Aufgaben anbieten, eine Sammlung von „Augen", große Glasmurmeln, Bohrkerne aus dem Steinbruch und Steine mit Löchern.

links
Ein Sonnenmosaik in warmen Farbtönen, die durch strahlend weißen und gelben Quarz, durch braune Feuersteine und roten Granit zustande kommen und im Kontrast zum dunklen, kreisförmig angelegten Hintergrund stehen.

unten
Erzengel Michael, der heilige Krieger, dargestellt als dunkle Silhouette vor einem dramatisch bewegten Hintergrund aus weißen Kalkstein-Kieseln. Die Flügel erhielten bunte Schmucksteine in Regenbogenfarben.
Das Mosaik ist vor dem Eingang einer gleichnamigen Kirche eingelassen (siehe Seite 35, unten links). Es wurde in 3 Segmenten vorgefertigt und am Ort als Gemeindeprojekt fertiggestellt.

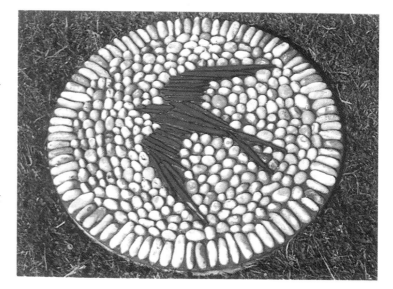

rechts oben
Unregelmäßig gespaltene Schieferstücke wurden für die
Schwalbe in diesem Mosaik (2 m Durchmesser) benutzt, die
in gutem Kontrast zum Hintergrund aus rundlichen Feuersteinen steht.

rechts unten
Ein Adlermosaik für den Eingang einer anderen Kirche. Nur
ein Meter groß im Durchmesser, enthält dieses kleine Mosaik
eine Menge Details. Die Flügel sind farbig in feiner Abstufung
mit pflaumenfarbenen Sandsteinen, blaßbraunen und bei-
gen Feuersteinen ausgeführt. Ein gespaltener Feuerstein bildet
das Auge, Beine und Schnabel sind aus scharzem Schiefer
geformt. Eingefaßt wird das Mosaik von strahlenförmig verlegten Sandsteinabschnitten.

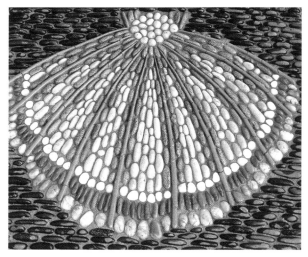

Techniken und Materialien

Im folgenden wird nun Schritt für Schritt gezeigt, wie Kieselsteinmosaike fachgerecht hergestellt werden. Beim Betrachten der noch existierenden alten Beläge aus Pflastersteinen und Kieseln wird deutlich, wie sie durch die eigentliche Konstruktion Stabilität erhalten, so daß für den Zusammenhalt der Steine keine zusätzlichen Bindemittel wie etwa Zement nötig sind. Zement ist ein moderner Zusatz, der zusätzliche Stabilität verleiht, aber er sollte nie die handwerksgerechte Bauweise ersetzen.

Grundsätzliche Voraussetzungen sind:

- eine feste Unterlage, auf denen die Kiesel aufliegen,
- einen ringsherum geschlossenen festen seitlichen Halt,
- vertikales Setzen der Kiesel, so daß ihre kleinste Oberfläche nach oben weist und
- sehr enges Aneinanderfügen aller Steine, so daß keine Bewegung in irgendeine Richtung möglich ist.

Steinformen für Kieselmosaike

Für die Herstellung von Kieselmosaiken eignen sich nur bestimmte Steinformen. Beim Steinesammeln ist deshalb eine bestimmte Auswahl notwendig, sonst lassen sich die oben angeführten Konstruktionsvorausset-

Dieses Pflaster bei Lytham St Annes, England, ist 150 Jahre alt und immer noch in perfektem Zustand.

zungen nicht einhalten: Alle Steine sollten länglich sein, so daß man sie senkrecht aneinander reihen kann. Wenn ein bestimmter Entwurf oder eine geringe Ausbeute an Steinen zur Verwendung kurzer Steine zwingen, sollte bedacht werden, daß diese sich unter dem Einfluß von Belastung, Verschleiß und Wetter eventuell aus dem Mosaik lösen.

Kiesel können gewöhnlich eine der folgenden Gruppen zugeordnet werden:

- *Lange Kiesel* (auch „Hüpfer" oder „Fliegende Untertassen" genannt): Diese dünnwandigen Steine sind sehr ausdrucksstark und können sehr vorteilhaft eingesetzt werden, um Bewegung und Richtung in das Mosaik zu bringen.
- *Zylindrische Kiesel*: Rundliche Formen sind hilfreich, um eine attraktive Grund-

Seite 36:
ganz links, oben und unten: Ein Schaf aus Kieselsteinen heißt die Passanten vor einer Dorfmetzgerei willkommen.

rechts oben: Im Wasser zeigen Kieselmosaike wunderbare Effekte: the Farben sind immer brillant und die Oberflächenstruktur der Kiesel schaffen lebendige kleine Strudeleffekte in dieser abgetreppten Kaskade.

links unten: Detail des Kaskadenmosaiks: Muschelmotive passen gut zu Wasser. Vorsicht ist geboten bei kühlen Motiven oder gar Figuren, die ertrunken wirken könnten.

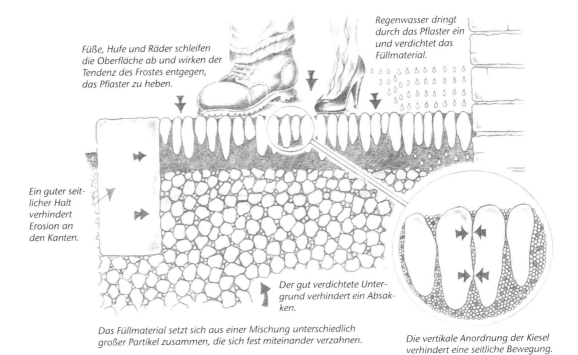

Füße, Hufe und Räder schleifen
die Oberfläche ab und wirken der
Tendenz des Frostes entgegen,
das Pflaster zu heben.

Regenwasser dringt
durch das Pflaster ein
und verdichtet das
Füllmaterial.

Ein guter seit-
licher Halt
verhindert
Erosion an
den Kanten.

Der gut verdichtete Untergrund verhindert ein Absak-
ken.

Das Füllmaterial setzt sich aus einer Mischung unterschiedlich
großer Partikel zusammen, die sich fest miteinander verzahnen.

Die vertikale Anordnung der Kiesel
verhindert eine seitliche Bewegung.

struktur herzustellen. Sie sind für verschiedene Muster nützlich und ähneln auch
Schuppenformen.

- *Flachköpfe*: Mit Steinen, deren Oberteil
  flach, oft auch eckig ist, können ganz andere, nicht minder attraktive Grundstruktu-
  ren geschaffen werden. Es können auch etwas größere Steine verwendet werden,
  was einen reizvollen Kontrast zu den kleineren Kieseln ergibt.
- *Steine aus dem Steinbruch* (ausgewählte
  Stücke von behauenem Stein): Manche Arten lassen sich leicht spalten und liefern
  dann flache, eckige Oberflächen, die zu
  mosaikartigen Mustern zusammengesetzt
  werden können.

Steinarten

Kiesel müssen hart sein, damit sie nicht brechen oder reißen. Im Zweifelsfall kann man
sie testen, indem man sie gegen einen dicken
harten Stein schlägt. Material, das dabei zer-
springt, ist offensichtlich nicht geeignet.

Die meisten feinkörnigen Strandkieselarten
lassen sich für Mosaike nutzen. Das ist ein-
leuchtend, denn Kiesel, die von Wind und
Wellen bearbeitet wurden, *müssen* hart sein,
sonst wären sie längst zu Sand zermahlen!
Hüten sollte man sich aber beim Sammeln
vor Ziegelbruchstücken, die ähnlich schön
wie warm-rote Kiesel aussehen, aber nicht
frostbeständig sind. Vermieden werden sollte

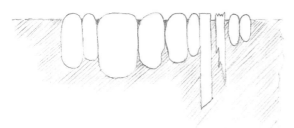

Geeignete und und weniger geeignete Kieselformen: Auch rundliche Steine sollten genügend länglich sein, um senkrecht nebeneinander gestellt werden zu können. Die Kiesel im rechten Bild können sich lösen, wenn der Mörtel um den Stein herum schwindet.

auch allzu körniger Sandstein, er nützt sich schnell ab und seine rauhe Oberfläche setzt sich mit Algen zu, die den Stein grün erscheinen lassen. Manche Kiesel, vor allem aus Quarzit und Kalkstein, weisen Löcher, Sprünge und Adern auf, die natürliche Schwachstellen darstellen. Diese sollten ebenfalls nicht verwendet werden.

Steinfarben

Es ist schwierig, Steine mit kräftigen Farben zu finden, und noch viel schwieriger, sie in so großen Mengen zu sammeln, daß sie für ein Kieselmosaik ausreichen. Doch selbst ein kleiner Vorrat an farbigen Kieseln ist nützlich, wenn man sie für Schmuckdetails auf einem Hintergrund aus einfacheren Steinen verwendet.

Die kräftigsten Farben sind bei den vulkanischen Gesteinen zu finden, den granit- und quarzführenden Formationen. Sie enthalten die Farben rot, rosa, cremeweiß und silbergrau, manchmal auch knallrot und ockergelb oder leuchtend weiß und gelbgefärbt.

Welche Steinarten sind geeignet?

Geeignete Steine:
- feinkörniger Granit
- Schiefer
- Dolerit
- Syenit
- harter Kalkstein
- Quarz, Feuerstein
- Porphyr

Ungeeignet sind:
- Lehmsteine
- Lehmschichtstein
- weicher körniger Sandstein,
- Marmor

Ungewöhnlich geformte Steine können komplexe Formen darstellen, wie bei diesem Vogel, dessen Gestaltung mit den passenden Steinen für den Körper begann.

Die Hauptkontraste, also hell und dunkel, ergeben sich durch blaßgrauen oder weißen Kalkstein neben dunklem Vulkangestein wie Dolerit. Sandstein und Feuerstein liefern die Zwischentöne creme, braun und rot.

Besondere Steine

Kiesel, in denen zwei oder mehr Steinarten vorkommen, so daß konzentrische Ringe sichtbar sind, eignen sich z.B. hervorragend als Auge für ein Gesicht oder für einen Tierkopf. So ein guter „Augenstein" verleiht der ganzen Figur Charakter und Ausdruck. Entsprechende Steine findet man gelegentlich, am ehesten an Stränden, an denen zwei Steinfarben vorkommen. Zu den ungewöhnlichen Steinen sind allgemein auch jene unklassizierbaren, unwiderstehlichen, individuellen und mysteriösen Zufallsprodukte der Natur zu zählen, die man zuweilen beim Sammeln findet. Manchmal gibt es so viele davon, daß es sich lohnt, sie für ein besonderes Vorhaben zu sammeln. So habe ich zum Beispiel einmal einen Haufen löchriger Kalksteine gesammelt, aus denen ich irgendwann ein Schaf gestalten möchte; da die Steine nicht sehr dauerhaft sind, werde ich sie wohl am ehesten für ein Wandmosaik verwenden.

Kies

Kies, der ja im Baugeschehen keine unerhebliche Rolle spielt, kann in unterschiedlichen Größen auch über den Baustoffhandel bezogen werden. Runder „Erbsenkies" läßt sich am besten mit Kieselsteinen kombinieren, da dieses Material auch vom Wasser abgeschliffen wurde. Ich habe es schon als Oberflächenmaterial in feuchten Beton gedrückt, und zwar als Umrandung eines Kieselmosaiks in ähnlicher Farbe.

Kies ist manchmal auch als Füllmaterial zwischen flachen Steinen (etwa kleinen Figuren aus Schieferfragmenten) nützlich. Farbiger Kies eignet sich auch für die Arbeit mit Kindern, die damit störende Spalten im Mosaik füllen können.

Bearbeiteter Stein

Zu den bearbeiteten Steinen zählen insbesondere flache, gebrochene Steine, Fliesen und gespaltene Schieferstücke. Solche Elemente bilden zu den wassergeformten Kieseln einen scharfen Kontrast und lassen manche Motive klarer hervortreten, zum Beispiel die Rippen eines Blattes oder die Wendel einer Spirale.

Ein nützliches Beiprodukt aus Steinbrüchen sind die perfekt runden Bohrkerne, die bei der Herstellung der Sprenglöcher anfallen. Sie werden meist weggeworfen, und man muß nur danach fragen. Aufgrund ihrer Form können sie einen interessanten Kontrast zu Kieseln bilden.

Größere Stücke von flachen Steinen können geformt und zurechtgehauen werden, um sie zwischen den Kieseln einzufügen. Sie bringen eine ganz neue Dimension in das Mosaik und eröffnen Gestaltungsmöglichkeiten, die sich mit Kieseln alleine nur schwer verwirklichen lassen. Die Steine sollten mindestens 25 mm dick sein, besser noch dicker, damit sie sich gut in das Mosaik einbetten lassen. Geeignete Abschnitte können oft billig in Steinbrüchen oder vom Steinmetz erstanden werden.

Andere Materialien

Einige künstliche Materialien passen gut zu echten Kieseln und eignen sich für Struktur- und Farbkontraste.

So stellen manche Nebenprodukte der keramischen Industrie lohnende Objekte dar, z.B. Schamottesteine und –säulen oder keramische Scherben. Keramik sollte jedoch immer mindestens Steinzeugqualität haben, anderenfalls ist sie nicht frostsicher. Erdfarbene Bodenfliesen aus Steingut, z.B. in den Farben graublau, terracotta, creme und schwarz, eignen sich – in Streifen geschnitten und hochkant gesetzt – gut für Bodenmosaike.

Glas sollte man am besten vermeiden, da die meisten Arten nicht hart genug sind und leicht zu Bruch gehen. Dagegen sind große Glasmurmeln – so lange sie gut eingebettet sind – eine brauchbare Alternative für Augen. Mit etwas Mühe kann man auch bunte venezianische Glassteine, Smalten genannt, wie sie für Glasmosaike üblich sind, für kleinere Details im Boden benutzen.

Dies sind nur einige Anregungen. Überall lassen sich ganz spezielle Produkte finden, und

Schneiden und Bearbeiten von Stein

Stein kann mit einem kleinen Winkelschleifer geschnitten und bearbeitet werden. Dieses überaus nützliche Werkzeug kostet nicht viel. Eine gute Größe sind Trennschleifer mit 115 mm Scheibendurchmesser. Man sollte nur die zum Trennen und Schleifen von Stein vorgesehenen Scheiben verwenden.

Vorsicht bei der Benutzung:
Die Augen unbedingt mit einer Schutzbrille vor herumfliegenden Steinpartikeln schützen! Kleine Steinstücke werden am besten mit einer Zange oder im Schraubstock gehalten.

Wer präzisere Ergebnisse erzielen will als dies mit dem Winkelschleifer möglich ist, muß sich im Fachhandel mit Hartmetall bestückte Steinmeißel besorgen und sich in die schwierige Kunst des Behauens von Stein einarbeiten.

wenn das Material hart und nicht porös ist, kann es gewöhnlich auch problemlos eingesetzt werden. Insgesamt ist jedoch Zurückhaltung angebracht, denn zu viele künstliche Farben und Strukturen lassen ein Mosaik leicht aufdringlich erscheinen.

Kieselsuche

Ist man bei der Suche nach guten Kieselsteinen erfolgreich, hat man schon halb gewonnen. Es gibt leider keinen schnellen Weg zum Kieselmosaik. Einige Händler für Garten- und Landschaftsbedarf bieten Kiesel an, aber solche Quellen sind äußerst beschränkt in der Auswahl und und der Kauf großer Mengen lohnt sich nur selten. Für hochwertige Arbeiten müssen die passenden Steine meist schon

*Eine Kiesbank am Fluß-
ufer bietet sich zum
Steinesammeln an.*

dem, sei es einer Person, einer Firma, einer Gemeinde oder dem Staat. Um sich keinen Ärger einzuhandeln, kann es deshalb sinnvoll sein, den Besitzer herauszufinden und sich eine Erlaubnis für das Betreten und das Sammeln von Steinen einzuholen. So lange nicht große Mengen gesammelt oder mechanische Hilfsmittel eingesetzt werden, wird einem Hobbykünstler kaum die Erlaubnis verwehrt werden, ein oder zwei Eimer Steine zu sammeln und davonzutragen.

Ökologisch sensible Gebiete sollten bei der Suche nach Steinen gemieden werden, also z.B. Gegenden, wo seltene Vögel nisten, oder besonders schutzwürdige Strände in dichtbesiedelten Gegenden.

Kiesbänke gelten dagegen meist eher als lästige Erscheinung, vor allem wenn sie sich mit den Gezeiten verändern und sich immer wieder Richtung Küstenstraße bewegen. Solche Kiesbänke am Strand sind dankbare Sammelplätze, und dort die Erlaubnis zum Sammeln zu bekommen, ist sicherlich kein Problem.

Flüsse können ebenfalls eine gute Quelle sein und liefern manchmal ebenso viele Kiesel wie ein Strand. Wer in der Nähe eines Flusses wohnt und dort die Kiesbänke kennt, kann sich glücklich schätzen. Auch an Gletschermoränen und an Binnenseen, besonders dort, wo ein Fluß einmündet, finden sich gute Kiesbänke. Hier ist es ebenfalls ratsam, eine Sammelerlaubnis einzuholen.

Steinbrüche sind üblicherweise in Privatbesitz; in den meisten Fällen werden die Betreiber gestatten, die Steinvorräte zu durchsuchen, und verlangen dann einen Preis pro Tonne.

selbst gesucht werden. Strände, Flüsse und Steinbrüche sind das hauptsächliche Jagdrevier.

Allerdings ist es oft nicht möglich, überall dort zu suchen, wo man gerne möchte, oder einfach alle Kiesel mitzunehmen, die man findet. Die rechtlichen Vorschriften sind sicherlich von Staat zu Staat und von Land zu Land verschieden; aber der Boden, auf dem man Kiesel findet, gehört üblicherweise jeman-

Fundorte

Kiesstrände lassen sich manchmal anhand von Landkarten herausfinden. Dies bietet natürlich keine Garantie dafür, daß vor Ort die Steine schön sind oder daß man mit einem Fahrzeug nahe genug heranfahren kann, um die Kiesel einigermaßen bequem einladen zu können.

Trotzdem lohnt es sich, geologische Karten nach Hinweisen auf die Gesteinsarten zu untersuchen, die dort zu finden sind. Das Gestein weist auf das Material am Strand hin. In Geologiebüchern sind außerdem Hinweise auf erhabene Strand-, Gletscher- oder Binnenseeablagerungen zu finden. Wenn solche Ablagerungen an Stränden und Flußsäumen abgewaschen werden, gibt es dort Kiesel.

Des weiteren kann nach Sand- und Kiesgruben Ausschau gehalten werden. Sand aus Steinbrüchen enthält oft Kies, der ausgesondert wird, ehe er gebrochen oder als Drainagematerial verkauft wird. Sieht der Kies gut aus, lohnt es sich zu fragen, ob die Vorratshalden nach Material durchsucht werden dürfen.

Oft kommen die besten Informationen über gute Stellen zum Kieselsammeln von Freunden, die irgendwo Urlaub machen.

Ein Kieselmosaik kann auch die Funktion eines Denkmals übernehmen, ohne daß, wie leider bei Skulpturen, die Gefahr des Vandalismus besteht. Das große Pflaster vor dem Ashton Memorial in Lancaster erinnert an die Verleihung der Stadtrechte. Es enthält die Wappenelemente der roten Rose von Lancaster, den Löwen und die Lilien. Diese Elemente sind lebhaft dargestellt und zu einem dekorativen Mosaik verarbeitet, das am besten von dem darüberliegenden Balkon besichtigt werden kann.
Entwurf der Autorin, erstellt mit Einheimischen im Rahmen des Community Programmes von Lancaster, England.

Das Haus eines alten Seebären in Seaton, Cambria, England, ist durch den gut erkennbaren Anker am Hauseingang ersichtlich. Interessanterweise ist der Anker zu den Hausbewohnern und nicht zum Besucher hin ausgerichtet.

Entwurf eines Kieselmosaiks

Die meisten Leute bevorzugen zum Gehen eine glatte Oberfläche, Kieselsteine sind also nicht überall als Untergrund geeignet. Asphalt, Beton und andere festen Oberflächen haben sich im täglichen Leben ihren Platz erobert, doch Kieselpflaster macht da Sinn, wo etwas Besonderes verlangt wird – wo Zeit und Mühe nicht gescheut werden und wo Sorgfalt und Handwerkskunst die Bedeutung eines bestimmten Ortes hervorheben sollen.

Das soll natürlich nicht heißen, daß Kieselmosaike nur an historisch bedeutsamen Plätzen sinnvoll sind. Es genügt, wenn der Ort für einen selbst oder für die Familie einen besonderen Wert hat, oder einfach auch nur, daß ein Kieselmosaik gut in die örtliche Gegebenheit paßt.

Obwohl ein gut verlegtes Pflaster eben und bequem zum Laufen sein sollte, ist es sinnvoll, Kieselmosaike so anzuordnen, daß Fußgänger auch um sie herumgehen können. Sonst wird es wohl immer jemanden mit hohen Absätzen geben, der sich darüber beschwert.

Umgebung

Selbst Kieselmosaike mit ganz einfachen Motiven werden immer durch ihre Umgebung beeinflußt, d.h. die Umgebung kann die Wirkung des Mosaiks auf positive oder negative Art verstärken.

Kiesel passen gut zu Belägen aus Naturstein, Platten, Pflastersteinen und Ziegeln. Linien aus Kieseln können auch in das Muster der sie umgebenden Steine oder Ziegel integriert werden und so die Zwischenräume füllen, die sonst nur Mörtel enthalten.

Kieselmosaike passen nicht besonders gut zu modernen Belägen wie Beton oder Asphalt, weil deren Oberfläche keine natürliche Unterteilung hat und damit ein zu großer Kontrast in der Struktur entstehen würde. Auch loser Kies ist keine gute Umgebung, weil er leicht auf das Mosaik verschleppt wird. Ebenso wird ein Kieselmotiv inmitten einer Rasenfläche schnell unsauber, weil es von Gras überwuchert oder von Grasabschnitten bedeckt wird; und unter Bäumen entsteht durch die natürliche Feuchtigkeit und durch fallende Blätter schnell der Eindruck von Unsauberkeit.

Sauberkeit ist aber wichtig, damit das Mosaik gut zur Geltung kommt. Deshalb ist der beste Standort ein offener Platz, wo das Mosaik ständig durch Wind, Sonne und Regen gereinigt wird und nur gelegentlich von Hand mit einer harten Bürste nachgeholfen werden muß, um zwischen den Steinen gefangene Schmutzpartikel zu entfernen.

Links:
Für dieses flächige Muster bei der Villa Medici in Fiesole, Italien, wurden Kieseln in drei Farben verwendet. Eine Bordüre mit rechteckigem Muster begrenzt die Fläche.

Rechts:
Diese interessante Pflasterung in Sevilla, Spanien, beruht auf einem quadratischen Raster und unregelmäßig miteinander verzahnten Formen. Einfache Bänder bilden die Begrenzung.

Das einfache, sich wiederholende Muster auf diesem Platz im Botanischen Garten in Lissabon, Portugal, geht strahlenförmig von der Mitte aus und wird , Reihe um Reihe, die Treppen hinunter fortgesetzt.

Die Stimmung des Ortes hervorheben

Zusätzlich zu seiner dekorativen Qualität kann durch ein Kieselmosaik auch die besondere Eigenschaft eines Ortes betont werden. Im Kleinen beispielsweise verleiht der „Schwellenstein" als Symbol jedem Stückchen Erde einen persönlichen Stempel. Ein Seemann hat vielleicht einen Anker vor seiner Tür, quasi wie eine Dienstmarke. Eine Familie bezieht sich vielleicht spielerisch auf ihren Namen (mit einem Fuchs, einer Burg, einer Mühle). Handwerksembleme können ebenso eingesetzt werden wie traditionelle Wappenteile, Sternzeichen oder auch einfach das Motiv, das man gerne als erstes erblicken möchte, wenn man „die Tür zur Welt öffnet".

Im Garten ist noch mehr möglich: ein schönes, großes Kieselmosaik am Lieblingsplatz oder -spalier; an der Stelle, an der man immer innehält, um die Aussicht zu genießen; am Übergang vom öffentlichen zum privaten Teil; dort, wo man immer den Nachmittagstee zu sich nimmt; all diese Plätze können mit ganz eigenen Motiven versehen werden, die den beteiligten Personen etwas bedeuten und dem betreffenden Ort gegenüber anderen eine eigene Identität verleihen.
Ein kleines Kieselmosaik kann wie ein Bild betrachtet werden: man setzt es an die richtige Stelle, wo es in die Umgebung passt, und „umrahmt" es mit Platten, Naturstein oder Ziegeln.

Gute Orte für ein Kieselmosaik

... im Privatbereich:

- *vor einem Eingang am Übergang zwischen drinnen und draußen (Haustüre, französische Fenstertüre) als eine Art „Schwellenstein";*
- *an einem Tor oder Übergang im Garten (von Terrasse zu Rasen, vom Hof zum Kräutergarten);*
- *in der Mitte eines Freisitzes, eines Spaliers oder Grillplatzes;*
- *an einem Platz mit schönem Ausblick;*
- *als Begrenzung eines besonderen Weges;*
- *als Platz für ein Gartenelement wie Sonnenuhr, Wasserbecken oder Brunnen;*
- *in einem Wintergarten oder Gartenpavillon.*

... im öffentlichen Bereich:

- *vor großen Eingängen zu öffentlichen Gebäuden oder Parks;*
- *auf Plätzen oder an Treffpunkten;*
- *in Brunnen (Kiesel sehen in Verbindung mit Wasser immer gut aus);*
- *an Kreuzungspunkten in Fußgängerzonen (statt einer Skulptur, die beschädigt werden könnte);*
- *als gestaltete Begrenzung größerer architektonischer Einheiten;*
- *in Innenhöfen von Krankenhäusern (hier hat die Gestaltung eine therapeutische Funktion).*

Muster und Motive für öffentliche Plätze

Im öffentlichen Bereich steht ein Ort vielleicht in historischem Zusammenhang mit einer bestimmten Person oder mit einem Ereignis. Man kann Embleme nach Wappenvorlagen, Seefahrtssymbolen oder architektonischen Details und schmuckreichen Logos entwerfen. Ein eher spiritueller Bezug läßt vielleicht Bilder oder Symbole von Eintracht, Freiheit oder Frieden passend erscheinen. Auf großen öffentlichen Plätzen können Kieselmosaike sehr wirkungsvoll sein. Sie lassen sich einsetzen, um örtliche Besonderheiten hervorzuheben, Gehwege zu markieren oder zu umrahmen und damit bedrückend groß-räumige Pflasterflächen aufzulockern. Vor allem können sie als strukturierende Elemente im Gesamtbild dienen und verschiedene Oberflächen visuell verbinden. Wenn möglich, sollten sie in die Gesamtgestaltung integriert werden und nicht nur die Kieselfüllung eines Lochs im Pflaster, quasi eine kurze Begegnung im Meer der Betonsteine darstellen.

Regeln der Bodengestaltung

Die visuelle Wahrnehmung des Bodens unter unseren Füßen ändert sich mit unserem Blickwinkel bzw. Standort. Aus der Entfernung, z.B. von einem Fenster oder einem Balkon, ist das Muster oder das Gestaltungsmotiv eines Mosaiks leicht zu erkennen. Das ändert sich, je näher man an das Mosaik herantritt, irgendwann sind nur noch Ausschnitte wahrzunehmen. Schaut man nach vorn über das Mosaik hinweg, ändern Blickwinkel und Pespektive das Aussehen des Motivs von neuem.

Es ist sinnlos, ein fein ausgearbeitetes Motiv zu entwerfen, das nur „vom Flugzeug aus" erkannt werden kann. Auch wenn es möglich sein sollte, das Mosaik von einem höher gelegenen Aussichtspunkt zu betrachten, ist es besser, es so anzulegen, daß es den Betrachter zufriedenstellt, der auf oder vor dem Mosaik steht. Bei einem ausladenden Motiv kann dies durch eine Abfolge einzelner Bilder inner-

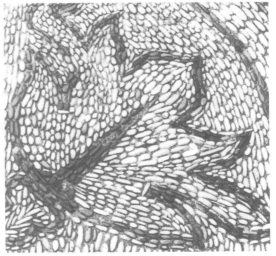

links:
Schwarze und weiße Kiesel bilden ein einfaches, jedoch äußerst wirkungsvolles und kontrastreiches Zickzackmuster auf Rhodos, Griechenland.

rechts:
Es ist typisch für italienische Kieselmosaike und sieht gut aus, wenn die Kiesel, wie bei diesem Blatt, in bestimmten Richtungen angeordnet werden. Auf großen Fläche kommen die dadurch entstehenden Linien besonders zur Geltung, wenn die schräg einfallende Abendsonne den Effekt von Licht und Schatten noch betont.

halb eines Gesamtbildes erreicht werden. Die künstlerische Aufgabe besteht nun darin, das Schreiten über die Fläche zum Erlebnis zu machen, so daß der Betrachter von einer Stelle zur nächsten geleitet wird.

Die Richtung der Bewegung steht dabei im Zusammenhang mit den architektonischen Gegebenheiten, wie der Lage des Eingangsbereiches, der Mitte, der Übergänge zu den anschließenden Flächen, den Rändern, den Ausgängen. Da das Auge immer nur jeweils 2 Meter vor sich erfassen kann, ist der Genuß des Gesamtbildes sehr eingeschränkt.

Die räumliche Anordnung von Motiven

Motive mit einem ausgeprägten Oben und Unten kommen nicht zur Geltung, wenn sie aus der falschen Richtung betrachtet werden. Es ist am besten, solche Motive nur dort zu einzusetzen, wo es eine klar definierte Blickrichtung bzw. Betrachtungsabfolge gibt. Wenn es sich jedoch nicht vermeiden lässt, daß Bilder auch von der „falschen" Seite betrachtet werden, hilft es oft sie z.B. in eine Umrandung einzubinden oder mit anders ausgerichteten Motiven zu kombinieren. Geschwungene oder sich drehende Motive, die aus jeder beliebigen Richtung einen interessanten Anblick bieten, sind dabei ganz besonders nützlich.

Die Kunst, Muster für Böden zu entwerfen, ist so alt wie die Idee, Fußböden zu verzieren. Historische Vorlagen, in denen gestalterische Lösungen aus verschiedenen Kulturen dokumentiert sind, können nützliche Quellen für den eigenen Entwurf sein. Obwohl es sehr wenig Informationen speziell über Kieselböden gibt, können Bilder traditioneller Mosaike und Fliesenböden, aber auch orientalische Teppiche sowie Muster und Formen aus der ganzen Welt Inspirationen liefern. Wer sich die Mühe macht zu suchen, findet ganze Bücherregale voller guter Gestaltungsideen.

Arbeiten mit Kieseln

Nachdem nun einiges über die Eignung von Motiven im allgemeinen und ihre räumliche Zuordnung erläutert wurde, geht es im folgenden nun wieder zurück zu den Kieselsteinen selbst.

Erster Tip: Es ist empfehlenswert, vor dem Zeichnen und Skizzieren dahin zu gehen, wo Kiesel zu finden sind und einfach mit ihnen zu spielen! Umgeben von der Fülle verfügbaren Materials lassen sich Muster und Strukturen, die sich aus den verschiedenen Kieselarten herstellen lassen, am einfachsten finden und erproben. Es ist hilfreich, alle Formen, Größen und Farben anzuschauen, zu experi-

mentieren, zu kombinieren und seiner Phantasie freien Lauf zu lassen. Auf diese Weise erhält man einen direkten Zugang zu den Ausdrucksmitteln einer Handwerkskunst, die eine ganz eigene Formensprache besitzt.

Klarheit und Kontrast

Kiesel mit kontrastreichen Farben sind nicht immer einfach zu finden, so daß es Sinn macht, mit dem Material zu arbeiten, das vor Ort leicht erhältlich ist. Und um so wichtiger ist es, ein klares und eindeutiges Motiv zu wählen und nicht zu sehr ins Detail zu gehen.

Kiesel gezeichnet im Maßstab 1:10 (links) und in Originalgröße (rechts).

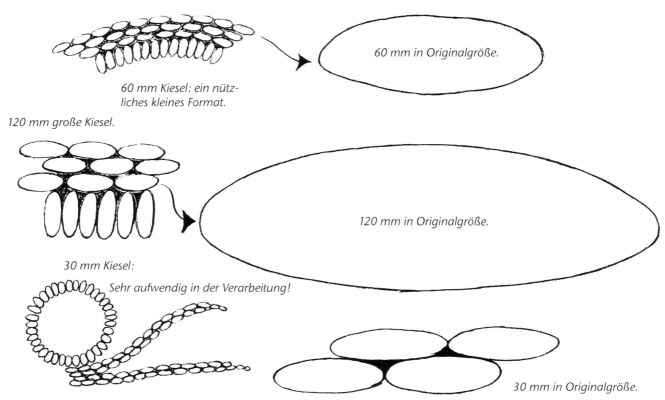

60 mm Kiesel: ein nützliches kleines Format.

60 mm in Originalgröße.

120 mm große Kiesel.

30 mm Kiesel:

Sehr aufwendig in der Verarbeitung!

120 mm in Originalgröße.

30 mm in Originalgröße.

Der Entwurf

Als Ausgangspunkt dient meist eine kleine Zeichnung, so eine typische Skizze, die man schnell z.B. auf den Rücken eines Briefumschlags kritzelt und die dennoch überzeugt. Danach ist es wichtig, genau zu planen, welche Art von Kieseln eingebaut werden sollen, und wie sich der Gesamtentwurf im Detail ausführen läßt. Möglicherweise muß dabei das eine auf das andere abgestimmt werden.

Wer keine Ideen hat oder kein Zeichentalent besitzt, findet es vielleicht einfacher, von einem Motiv auszugehen, das er schon einmal irgendwo gesehen hat, und ändert es für seine Zwecke entsprechend um. Ein Photokopierer ist sehr nützlich, um Gestaltungsideen auszuprobieren, da man Motive kopieren, zurechtschneiden und dann mit verschiedenen Anordnungen, Einfassungen und Hintergründen experimentieren kann.

Es ist hilfreich, ein Motiv aus schwarzem Papier auszuschneiden. Das Ausschneiden verhindert, daß im Motiv zu viele Details enthalten sind, und betont die zweidimensionalen Eigenschaften.

Ausgeschnittene Papiermuster

Wer als Kind Schneeflocken, Sterne und andere Motive aus mehrfach gefaltetem Papier ausgeschnitten hat, der erinnert sich, wie die ausgeschnittene Form höchst einfach und effektvoll symmetrisch zu den Faltkanten verlief. Diese Kinderbeschäftigung kann auch für den Entwurf einen nützlichen Trick bieten, um schnell eine ganze Menge geometrischer Muster oder sich wiederholender Motive zu erzeugen. Man kann damit auch leicht ein Muster auf mehrere Blätter Papier übertragen und mit den Kopien in verschiedenen Anordnungen herumspielen. Beim Experimentieren ist es sinnvoll, schwarzes oder dunkles Papier zu verwenden, um einen unmittelbaren Eindruck des zweidimensionalen Effekts zu erhalten.

Steht der Rohentwurf, können durch sorgfältiges Zeichnen und Ausschneiden detaillierter ausgearbeitete Versionen erstellt werden.

Das Ausmalen einer Strichzeichnung in Schwarz und Weiß offenbart Schwachpunkte und verhilft zu einer ausgewogenen Komposition.

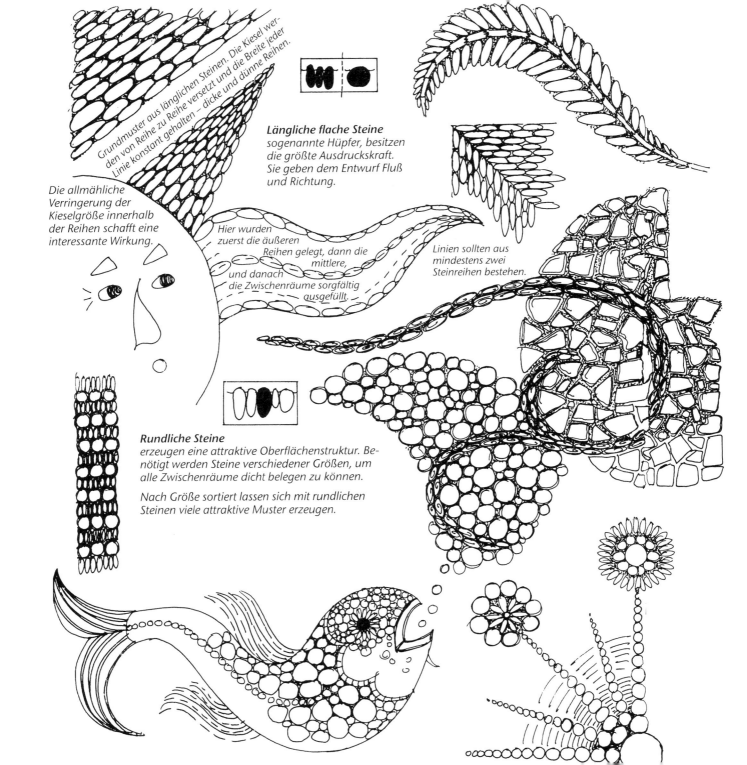

Grundmuster aus länglichen Steinen. Die Kiesel werden von Reihe zu Reihe versetzt und die Breite jeder Linie konstant gehalten – dicke und dünne Reihen.

Längliche flache Steine
sogenannte Hüpfer, besitzen die größte Ausdruckskraft. Sie geben dem Entwurf Fluß und Richtung.

Die allmähliche Verringerung der Kieselgröße innerhalb der Reihen schafft eine interessante Wirkung.

Hier wurden zuerst die äußeren Reihen gelegt, dann die mittlere, und danach die Zwischenräume sorgfältig ausgefüllt.

Linien sollten aus mindestens zwei Steinreihen bestehen.

Rundliche Steine
erzeugen eine attraktive Oberflächenstruktur. Benötigt werden Steine verschiedener Größen, um alle Zwischenräume dicht belegen zu können.

Nach Größe sortiert lassen sich mit rundlichen Steinen viele attraktive Muster erzeugen.

Ein Fischgrätmuster aus Andalusien.

Die wichtigsten Materialien und Formen für Kieselmosaike

Flachköpfe
Aus manchen Steinarten entstehen auf natürliche Weise blockförmige Kiesel, wobei vorzugsweise die langen, zahnförmigen mit flachem Kopf gewählt werden sollten. Flachköpfe bilden eine angenehme, unaufdringliche Oberfläche, die sich gut von länglichen oder streifenförmigen Steinen abhebt.

Größere Steine
sind als Kontrast in einem Ziermotiv oder in einem Detail nützlich.

Streifen
Streifen aus Sandstein oder Fliesen erzeugen, auf ihre Schmalseite gestellt, scharfe Unterteilungen zwischen verschiedenen Segmenten.

Um Kurven herzustellen, können Schieferstreifen gebrochen und „gebogen" werden.

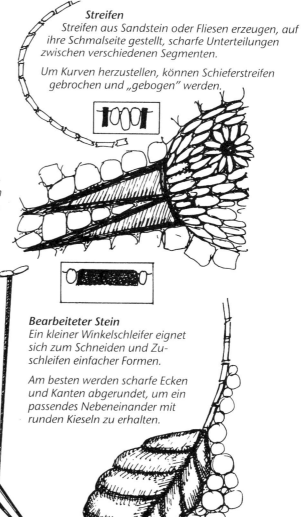

Bearbeiteter Stein
Ein kleiner Winkelschleifer eignet sich zum Schneiden und Zuschleifen einfacher Formen.

Am besten werden scharfe Ecken und Kanten abgerundet, um ein passendes Nebeneinander mit runden Kieseln zu erhalten.

Stein aus dem Steinbruch
Eckiges Steinbruchmaterial, als Füllmaterial manchmal sehr hilfreich, muß nach passenden Formaten sortiert werden.

53

Eine Strichzeichnung als Vorlage

Manche Entwürfe beginnen auch als Strichzeichnung. Allerdings ist es schwierig, sich die spätere Wirkung des Mosaiks einzig anhand einer spärlichen Strichzeichnung anschaulich zu machen und zu beurteilen. Erst durch das Schraffieren der Flächen wird der Kontrast zwischen den verschiedenfarbigen Kieseln deutlicher und es läßt sich besser feststellen, ob die Komposition ausgewogen und zufriedenstellend ist. Es ist gut, sich folgende Fragen zu beantworten:

- Ist das Motiv als solches zufriedenstellend?
- Kann es als Blatt, Blume, Hand oder was auch immer erkannt werden?
- Sitzen die Linien (falls vorhanden) an den richtigen Stellen, sind sie klar und breit genug, um aus wenigstens zwei Reihen von Kieseln gelegt werden zu können?
- Sind die schwarzen und weißen Formen – abgesehen davon, was sie darstellen – auch dekorativ genug?

Die Anordnung der Kiesel im Hintergrund in einer zum Hauptmotiv gegenläufigen Richtung trägt zum besseren Kontrast bei.

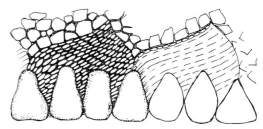

So angeordnet betonen Steine ein Detail.

Ein großer Stein mit der richtigen Form (unbedingt ein Flachkopf) ist viel markanter als eine Anzahl kleiner Kiesel.

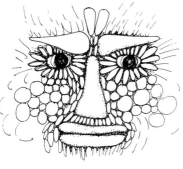

Klarheit und Kontrast

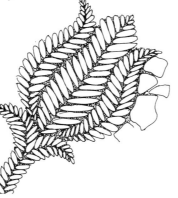

Beispiel einer Einfassung aus Steinen mit ähnlichem Farbton. Ein Kontrast ensteht nur durch die Größe und Form.

Den besten Kontrast erhält man durch einfache, klare Umrisse. Die Art, wie die Kiesel innerhalb einer Fläche angeordnet sind, betont die Wirkung.

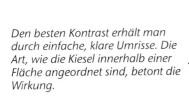

An dieser Stelle lohnt es sich, selbstkritisch zu sein! Denn ein Gestaltungsmotiv zu verändern, dauert nur einige Minuten oder auch Stunden; das Mosaik dann zu legen, dauert bald hundertmal so lange, aber damit leben muß man gegebenenfalls ein ganzes Leben.

Behutsam auftreten

Es gilt zu bedenken, daß manche Themen und Inhalte im Steinpflaster die Menschen auch auf unabsichtliche Weise berühren können. So trauen sich manche Menschen nicht, über besonders bewegende Bilder zu laufen: „Auf so wunderschöne weiße Vögel kann ich nicht treten." Zu ähnlich ungewollten Reaktionen kann es kommen, wenn Menschen im Mosaik abgebildet werden. Vielleicht liegt es daran, daß die menschliche Figur umso stärker eine emotionale Berührung auslöst, je abstrakter sie gezeichnet ist. Was auch immer die Gründe sein mögen, es gilt, eine solche Möglichkeit mit zu bedenken – natürlich, ohne sich dadurch in der Freiheit des Entwurfs einschränken zu lassen.

Die Steine sprechen

Es ist oft nur ein feiner Unterschied, ob man eine Anordnung von Steinen als simple Kieselansammlung sieht oder ob man in dieser Ansammlung quasi auf einer anderen Ebene ein Bild erkennen kann. Die Arbeit mit Kieselsteinen ist unter anderem deshalb so faszinierend, weil schon mit einigen wenigen gut

ausgewählten und richtig angeordneten Steinen diese Transformation bewirkt werden kann.

Daher noch ein Tip für die Gestaltung mit Steinen: Es ist gut, bei der Suche nach Steinen ihre Besonderheit zu fühlen und auf die Wirkung zu achten, die sie beim Spiel auslösen. Es gibt ganz bestimmte Formen, die z.B. die Krümmung eines Ohrs oder einer scharfen Klaue ins Gedächtnis rufen. Prinzipiell ist es immer besser, einen einzigen Stein für eine Nase oder eine besonders betonte Stelle einzusetzen und nicht ein Dutzend. Am besten ist, daß man die Steine selbst die Form vorschlagen läßt, die sie einnehmen möchten.

Einer der einfachsten Effekte – längliche Kiesel in unterschiedliche Richtungen angeordnet – wird bei diesem geometrischen Entwurf von Rafael Gimenez in El Brillante in Cordoba optimal genutzt. Lange Schatten am Abend betonen die Ornamente und geben dem Mosaik eine dreidimensionale Qualität.

Maßstäbliches Zeichnen

Tips für Anfänger

Eine maßstäbliche Zeichnung lohnt sich für jedes Projekt, das größer ist als eine Türschwelle. Ein Maßstab von 1:10 (1 cm auf dem Plan entspricht 10 cm in der Realität) ist am einfachsten und nützlichsten für Kieselmosaikprojekte bis zu 5 m Durchmesser, da so die tatsächliche Größe der Kiesel maßstäblich gezeichnet werden kann. Auf diese Weise läßt sich leicht überprüfen, ob das Mo-

tiv wirkungsvoll ist und ob es sich auch tatsächlich ausführen läßt! Beim freien Skizzieren kann es vorkommen, daß der „Bleistift mit einem durchgeht", und man Details einzeichnet, die sich mit Kieselsteinen in der Realität gar nicht darstellen lassen.

Ein Photokopierer, der prozentual verkleinert und vergrößert, kann sehr hilfreich sein, um eine Zeichnung in einen anderen Maßstab zu übertragen. Damit ist es leicht, eine vergrößerte oder verkleinerte Zeichnungskopie in den Entwurf einzupassen; man schneidet sie aus, spielt mit ihr herum und fertigt zum Schluß eine Reinzeichnung auf Pauspapier an.

Für eine maßstäbliche Zeichnung werden Papier, Lineal, Zirkel, Winkelmesser, Zeichendreieck, Bleistifte usw. benötigt. Man kann kariertes Papier verwenden, aber es ist nicht nötig. Hilfreich ist vielmehr, sich ein wenig an den Geometrieunterricht in der Schule zu erinnern. Also heißt es, den Bleistift anzuspitzen und sorgfältig zu messen.

Maßstäbliches Zeichnen ist nicht weiter schwierig: Bei Zeichnungen im Maßstab 1:20 zum Beispiel entsprechen 1 cm auf dem Papier 20 cm in der Realität. Es bietet sich an, für kleine Projekte unter 2 Meter Durchmesser den Maßstab 1:5 zu wählen, bei Projekten bis zu 5 Meter Durchmesser 1:10 und für Projekte über 5 m Durchmesser den Maßstab 1:20.

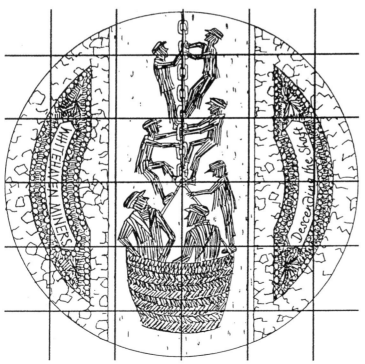

Dem Linienraster im Abstand von 5 cm, das über diesen maßstäblichen Entwurf gelegt wurde (hier verkleinert wiedergegeben), entspricht im Original ein Raster mit 50 cm Abstand.

Beim maßstäblichen Zeichnen ist es sehr hilfreich, eine Vorstellung von der Größe der Kiesel zu haben, die man einsetzen möchte (siehe die Zeichnung auf S. 50).

Ein Beispiel für das Anfertigen einer maßstäblichen Zeichnung aus einer kleinen Skizze und das Übertragen des Entwurfs in die Praxis wird in den schrittweisen Anleitungen auf den Seiten 71 bis 77 gezeigt.

Zeichnung in Originalgröße

Bei detailreichen Motiven kann es sinnvoll bzw. notwendig sein, vor der praktischen Ausführung eine Vorlage in Originalgröße anzufertigen. Wenn eine Schablone für ein wiederkehrendes Motiv benötigt wird, reicht es aus den wiederkehrenden Teil des Motivs in Originalgröße zu zeichnen. Die Vorgehensweise dabei ist aber die gleiche wie bei der Vergrößerung des Gesamtmotivs.

Um den Entwurf zu vergrößern, wird die maßstäbliche Zeichnung mit einem gleichmäßigen vertikalen und horizontalen Linienraster überzogen. Ich ziehe die Linien im Abstand von 5 cm, die bei einem Maßstab von 1:10 jeweils 50 cm anzeigen. Wem diese Quadrate zu groß sind, der kann es auch mit Linien im Abstand von 2,5 cm versuchen, die ein Rastermaß von 25 cm ergeben. In gleicher Weise wird ein zweites Linienmuster mit einem Abstand von 50 cm bzw. 25 cm auf große Papierbögen oder Kartons gezeichnet. Nun wird die Originalzeichnung Quadrat um Quadrat auf das große Format übertragen. Am besten gelingt dies, wenn man sich vorrangig auf die Hauptlinien der Zeichnung konzentriert und erst zum Schluß mit einem genauen Blick auf das Gesamtmotiv in Originalgröße das eine oder andere Detail korrigiert.

Große Motive vergrößern

Das Folgende betrifft nur das Anfertigen detailgenauer Zeichnungen in Originalgröße für die Fertigguß-Technik.

Es bedarf einiger Vorbereitung und besonderer Hilfsmittel, um auch bei großen Zeichnungen Genauigkeit zu gewährleisten. Zunächst benötigt man einen Arbeitsplatz mit einem trockenen, ebenen Boden, der groß genug ist, um das Motiv in Originalgröße unterzubringen.

Weißer Zeichenkarton ist das am besten geeignete Papier. Es streckt und verzieht sich nicht, solange es trocken bleibt, und ist bei Fachhändlern in Rollen bis zu 3 m Breite erhältlich (Berufsphotographen verwenden das Material als Studiohintergrund).

Eine Alternative zum Zeichnen auf Papier ist weiß beschichtete Hartfaserplatte. Um große Flächen zu erhalten, können die 2,4 x 1,2 m großen Platten mit Klebeband aneinander ge-

Anfertigen einer Zeichnung in Originalgröße. Die Autorin vergrößert gerade einen Entwurf, der an die Bergarbeitersiedlung Whitehaven erinnern soll. Die Zeichnung wird übertragen, indem die kleinen Quadrate der maßstäblichen Zeichnung auf die grossen Quadrate auf dem Papier übertragen werden. Da es geplant ist, diesen Entwurf in der Fertigguß-Technik (im Text beschrieben) auszuführen, wurde die Zeichnung zunächst in ihr Spiegelbild umgedreht. Erforderliche Ausrüstung: ein langes Lineal, ein „Zirkel" aus einem Stück Stahlband und eine Zeichennadel (Reißzwecke), außerdem ein Maßband zum Messen. Eine Schablone aus Karton hilft, die Kettenglieder mehrfach zu reproduzieren. Sinnvollerweise prüft man die Größe der zu verwendenden Kiesel anhand der Zeichnung. In diesem Beispiel mußten die Figuren angepaßt werden, damit die kleinen Kiesel sauber in die Ecken paßten.

klebt werden. Mit einer Stichsäge mit feinem Blatt lassen sich die gewünschten Formen dann ausschneiden. Diese Methode ist besonders geeignet für die Fertigguß-Technik, die stabile Hartfaserplatte dient dabei gleich als Basis für die jeweilige Form.

Manche Werkzeuge, die zur Herstellung grosser Zeichnungen gebraucht werden, können ganz einfach selbst hergestellt werden. Ein langes Lineal beispielsweise läßt sich durch ein langes, gerade geschnittenes Holzbrett ersetzen. Für sehr lange Linien ist eine dünne Schnur dienlich, die zwischen Nägel oder Reißzwecken gespannt wird. Die Linie kann dann entlang der Schnur angezeichnet werden, wobei die Markierungen anschließend mit dem Lineal verbunden werden. Ebenso

hilfreich ist eine mit Kreidepulver bestäubte Schnur, die man auf die zu markierende Oberfläche schnappen läßt (*Schlagschnur,* im Baubedarf erhältlich). Zum Messen verwendet man ein Maßband aus Stahl, das sich nicht in der Länge verzieht.

Ein Zirkel kann ganz einfach aus einem Stück Stahlband hergestellt werden, indem man zwei Löcher darin anbringt, das eine Loch zur Aufnahme des Nagels (Reißzwecke), das andere für die Bleistiftspitze. Ein genauer rechter Winkel zu einer gegebenen Grundlinie läßt sich konstruieren, indem von zwei Punkten auf der Grundlinie zwei Kreisbögen mit gleichem Radius gezogen und die beiden Schnittpunkte der Kreisbögen verbunden werden. Man kann auch den Satz des Phytagoras anwenden: Auf der Grundlinie wird eine Strecke von 3 m angezeichnet, dann wird mit dem Zirkel ein Kreis mit 4 m Radius von dem einen Endpunkt und ein zweiter Kreis mit 5 m Radius vom anderen Endpunkt aus geschlagen. Die Verbindungen des Schnittpunktes der beiden Kreisbögen mit den Endpunkten der Grundlinie ergeben einen rechten Winkel.

Auf diese einfache Weise können mit Schnur und Zirkel große Motive sehr genau gezeichnet werden. Mit Hilfe der Schulgeometrie lassen sich auch die Winkel 45° und 60° schnell herstellen. Sobald die Hauptlinien exakt aufgezeichnet sind, kann man durch Messen mit dem Maßband und Zeichnen mit dem Lineal weitere Unterteilungen vornehmen.

Mosaiklegen vor Ort

Vorbereitung und Planung

Für die Umsetzung des Entwurfes in ein Mosaik sind eine Reihe von Vorarbeiten nötig. Als erstes muß der Untergrund an der vorgesehenen Stelle vorbereitet werden, damit anschliessend die Anhaltspunkte für das Motiv markiert werden können. Alle benötigten Werkzeuge sollten vorhanden sein, ebenso das Baumaterial, wobei die Kiesel am besten in Haufen oder Behältern vorsortiert sein sollten.

Ein wichtiger einzuplanender Aspekt bei der praktischen Ausführung des Mosaiks ist die Entwässerung. Wenn immer möglich, sollte die Oberfläche des fertigen Mosaiks etwas über dem Niveau des umgebenden Bodens liegen, damit der Niederschlag gut abfließen

kann und das Mosaik sauber bleibt. Außerdem sollte die Fläche mit Gefälle angelegt werden, damit das Regenwasser jederzeit ablaufen kann. Mosaike auf ebenem Gelände müssen mit einer leichten Wölbung versehen werden, denn nichts stört bei einem Mosaik mehr als Pfützen, die einen Schmutzfilm, Algen und schließlich Moos zurücklassen.

Eine horizontale Linie kann man mit einem Lineal und einer Wasserwaage über Entfernungen bis zu drei Metern definieren. Dazu schlägt man rund um das Mosaik Holzpflökke in den Boden und mißt mit der Wasserwaage und dem Lineal, ob die Enden auf gleicher Höhe stehen (siehe Zeichnung links).

Waagerechtes Ausrichten mit Wasserwaage und Richtlatte (links) und mit einer Schlauchwaage (rechts). Das Wasserniveau ist an beiden Enden des Schlauches auf gleicher Höhe. Dieses Niveau wird an den Pflöcken markiert; um das nötige Gefälle festzulegen, wird an den Pflöcken nach unten gemessen.

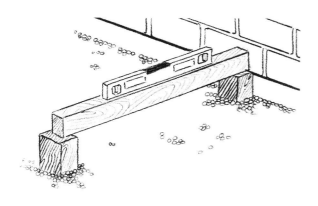

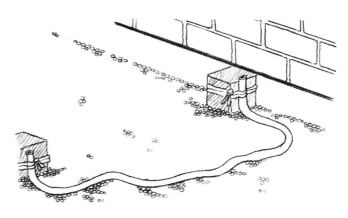

Um eine horizontale Linie auf einer großen Fläche zu definieren, benutzt man eine Schlauchwaage. Eine Schlauchwaage läßt sich aus einem Stück transparenten Kunststoffschlauch herstellen, das mit Wasser gefüllt wird. Wenn sich keine Luftblasen mehr im Schlauch befinden, wird das eine Ende an einem Pflock befestigt, und der Schlauch über die gesamte Fläche gezogen (dabei evtl. Wasser nachfüllen). Das Wasserniveau an beiden Enden bleibt dabei immer auf gleicher Höhe. Dieses Niveau kann dann auf in die Erde geschlagene Pflöcke übertragen werden. Auf diese Weise ist es ganz einfach, den Pflöcken entlang nach unten zu messen und das notwendige Gefälle anzuzeichnen.

Da, wie oben erwähnt, bei einem ebenen Gelände eine Wölbung im Mosaik erwünscht ist, werden die Pflöcke am Umfang des Mosaiks auf gleiches Niveau gesetzt, während der Pflock in der Mitte höher sitzt. Bei einem großen Mosaik sind Zwischenpflöcke nötig; diese sollten an den für die Formen wichtigen Stellen angebracht werden. Wie das im einzelnen geschieht, wird unten beschrieben.

Der Untergrund

Die Ursache dafür, daß manche alten gepflasterten Flächen heute uneben sind, liegt darin, daß ihr Untergrund nicht für schwere Fahrzeuge wie Lastwagen und Traktoren ausgelegt wurde, d.h. nicht ausreichend tragfähig ist; sie sollten nur das Gewicht von Menschen und Pferden aushalten. Die Ansprüche an die Tragfähigkeit von Nutzoberflächen sind heute viel höher als früher. Wenn der Untergrund jedoch für die zu erwartende Last ausreichend tragfähig ist, bleibt auch das Mosaik auf Dauer haltbar.

Der Randbereich

Neben einem stabilen Untergrund ist weiterhin wichtig, daß der Randbereich des Mosaiks vor Beschädigung geschützt wird. Vielleicht existiert schon ein guter Halt in Form einer Hauswand oder eines Bordsteins (bei angrenzenden Hauswänden sollte die Kieseloberfläche mindestens 15 cm unterhalb einer eventuell vorhandenen Feuchtigkeitssperre liegen). Falls es keinen solchen Halt gibt, kann eine gute Begrenzung auch mit Pflastersteinen, Steinplatten, Ziegelsteinen oder Betonerzeugnissen hergestellt werden. Dabei gilt wieder: die Tragfähigkeit der Konstruktion muß entsprechend der Verkehrslast ausgelegt werden, die auf das Mosaik einwirkt.

Mosaik für Fußgänger: Unterkonstruktion

Die weiche Muttererde wird vollständig entfernt und die für das Mosaik vorgesehene Fläche bis auf das Niveau des Unterbodens ausgehoben. Bis zu welcher Tiefe der Boden ausgekoffert werden muß, ist von Ort zu Ort verschieden. Auf jeden Fall muß verhindert werden, daß sich Wasser unter den Kieseln sammelt und sich das Mosaik bei Frost aufwirft. Der Aushub sollte also wenigstens 20 bis 25 cm tief sein; denn für Mosaike-im Sandbett ist eine Arbeitshöhe von 10 cm erforderlich und darunter muß noch eine wasserdurchlässige Schicht von mindestens 10 cm (besser 15 cm) festgestampftem Schotter Platz finden (siehe Abb. unten). Oftmals ist es notwendig, tiefer zu graben, denn es ist wichtig, festen Unterboden zu erreichen, in dem sich keine organischen Stoffe mehr befinden.

Querschnitt durch ein Kieselmosaik, das nur von Fußgängern betreten wird (nicht für Autoverkehr ausgelegt).

Die Einfassung aus gegossenem Beton könnte auch aus Pflaster- oder Ziegelsteinen oder auch aus Platten hergestellt werden.

Der Überstand läßt Oberflächenwasser ungehindert abfließen.
Nötig sind als Überstand: - *5 mm bei kleinen Kieseln (bis 25 mm),*
- *10 mm für 75 mm große Kiesel,*
- *12 mm für 100 bis 150 mm große Kiesel.*

100 mm Arbeitstiefe für die hier im Sandbett verlegten Kiesel.
Die Arbeitstiefe wird durch die Größe der Kiesel festgelegt.
Bei kleineren Kieseln genügt eine geringere Tiefe.

Als Füllmaterial kann eine trockene Mischung aus Sand und Zement oder eine reine Sandmischung dienen.

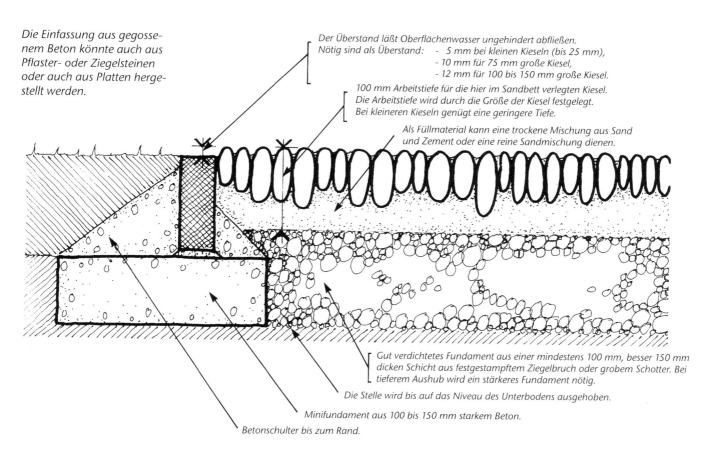

Gut verdichtetes Fundament aus einer mindestens 100 mm, besser 150 mm dicken Schicht aus festgestampftem Ziegelbruch oder grobem Schotter. Bei tieferem Aushub wird ein stärkeres Fundament nötig.

Die Stelle wird bis auf das Niveau des Unterbodens ausgehoben.

Minifundament aus 100 bis 150 mm starkem Beton.

Betonschulter bis zum Rand.

Der Unterboden wird festgestampft und darüber die sogenannte Tragschicht eingebracht, also z.B. eine 10 cm dicke Lage aus Ziegelbruch und Steinen (bzw. Feinsplitt), die zusammen mit genügend scharfkantigem Sand, der die Zwischenräume ausfüllt, gleichmäßig und eben festgestampft wird. Wer für die Tragschicht Splitt oder Rundkies kauft, sollte Material der Körnung 0/32mm bis 0/50 mm verlangen. Wenn der Aushub tiefer ist, werden die Steine nach Größe eingefüllt, die größeren nach unten. Es ist äußerst wichtig, daß die Tragschicht sorgfältig verdichtet ist, anderenfalls senkt sich das Mosaik im Laufe der Zeit. Wenn irgend möglich, sollte ein Rüttelgerät dafür gemietet werden. Zur Not tut auch ein Handstampfer gute Dienste, z.B. aus einer Eisenplatte mit Stiel gefertigt.

Die Randbegrenzung wird auf ein Fundament aus Beton (1 Teil Zement auf 2 Teile Sand mit 4 Teilen Kies 10 - 14 mm) gesetzt, das 10 - 15 cm tief und an den Seiten abgeschrägt ist (siehe Zeichnung Seite 59).

Die Stärke der Mosaikschicht wird von dem größten verwendeten Kiesel bestimmt. Eine Arbeitstiefe von 10 cm ist für große Kiesel ausreichend, während für feinere Arbeiten 5 cm genügen.

Über der festgestampften Tragschicht werden die Kiesel in eine Fülllage aus Sand oder auch Sand und Zement gesetzt, wie im folgenden noch beschrieben.

Dieses Gäßchen in Carmoa, einem kleinen Dorf in Spanien, wurde durch eine doppelte Reihe auf die Schmalseite gestellter, dünner Ziegelsteine in überschaubare Abschnitte unterteilt. Die Reihen definieren das für eine gute Entwässerung nötige Gefälle, wobei die Ziegelreihen auch als Halt während des Feststampfen der Kiesel in den dazwischenliegenden Abschnitten dienen. Leider haben die Arbeiter so viel Zeit mit ihrer Siesta verbracht, daß sie nicht mehr dazu kamen, den Mörtel auf der linken Seite wegzuputzen.

Kieselmosaike – für leichten Fahrzeugverkehr

Die Vorbereitung des Bodens ist ähnlich wie bei der ausschließlichen Nutzung durch Fußgänger, außer daß tiefer ausgehoben werden muß. Zusätzlich zur Mindeststärke der Schotterschicht von 150 mm ist eventuell eine 10 cm starke Lage Beton für zusätzliche Stabilität sinnvoll. Die Randbegrenzung und Abschrägung muß sorgfältig ausgeführt werden (siehe Abb. unten).

Querschnitt durch ein Kieselmosaik für Einfahrten oder leichte Fahrzeugnutzung

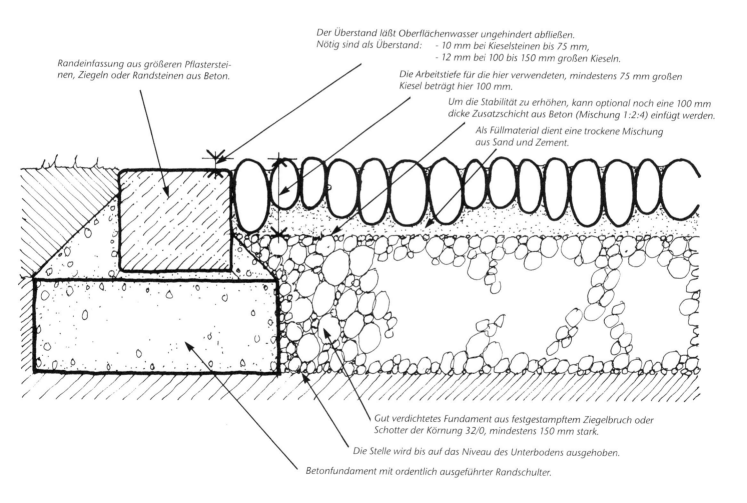

Randeinfassung aus größeren Pflastersteinen, Ziegeln oder Randsteinen aus Beton.

Der Überstand läßt Oberflächenwasser ungehindert abfließen.
Nötig sind als Überstand: - 10 mm bei Kieselsteinen bis 75 mm,
*   - 12 mm bei 100 bis 150 mm großen Kieseln.*

Die Arbeitstiefe für die hier verwendeten, mindestens 75 mm großen Kiesel beträgt hier 100 mm.

Um die Stabilität zu erhöhen, kann optional noch eine 100 mm dicke Zusatzschicht aus Beton (Mischung 1:2:4) einfügt werden.

Als Füllmaterial dient eine trockene Mischung aus Sand und Zement.

Gut verdichtetes Fundament aus festgestampftem Ziegelbruch oder Schotter der Körnung 32/0, mindestens 150 mm stark.

Die Stelle wird bis auf das Niveau des Unterbodens ausgehoben.

Betonfundament mit ordentlich ausgeführter Randschulter.

Kieselmosaike für schwere Fahrzeuge

Die Belastung durch schwere Fahrzeuge stellt ein besonderes Problem dar, das von Ort zu Ort in Zusammenarbeit mit dem für das Projekt zuständigen Straßenbauingenieur gelöst werden muß. Jedenfalls hat sich ein von mir nach der Fertigguß-Methode angefertigtes Kieselmosaik in einer engen Einkaufsstraße in Edinburgh (Foto, Seite 82) als hinreichend stabil erwiesen, obwohl dort häufig Lieferfahrzeuge wenden. Es wurde speziell für diese Situation mit einer stabilen Tragschicht und Randbegrenzung entworfen (Zeichnung auf Seite 85).

Der Anfang: Das Aufteilen der Fläche

Um das Setzen der Kiesel und das Feststampfen auf die vorgesehene Endhöhe zu ermöglichen, ist ein System notwendig, nach dem man die innere Fläche aufteilen kann. Dies trifft auf alle Mosaike zu, die größer als 1 m im Durchmesser sind.

Portugiesische Arbeiter mit Schablonen, um ein sich wiederholendes Ornament zu legen.

Um das Pflastern großer Flächen zu vereinfachen, ist es am praktischsten, dauerhafte Unterteilungen anzubringen, ehe man mit dem Legen der Kiesel beginnt. Ziegelsteine, Pflastersteine oder Bänder aus Steinplatten können als Linien in Mörtel gelegt werden und tragen oft vorteilhaft zu dem Gesamtmuster bei. Sie legen auch das Gefälle der fertigen Oberfläche insgesamt fest.

Eine weitere Möglichkeit besteht darin, Bänder aus Kieselsteinen in regelmäßigen Abständen in einer Mischung aus Sand und Zement zu verlegen. Der Mörtel muss ausreichend abbinden können, ehe diese Bänder als Begrenzung für das Feststampfen der Kiesel in den dazwischenliegenden Flächen dienen können.

Eine etwas kompliziertere Möglichkeit kann von chinesischen Pflasterungen abgeschaut werden: Schieferstreifen oder Dachziegelscherben werden in regelmäßigen geometrischen Mustern gelegt, ehe die Kiesel selbst eingebracht werden. Auf diese Weise wird ein komplettes Flechtwerk aus Miniaturmäuerchen mit dem vorgesehenen Oberflächenniveau des Mosaiks angelegt, wobei gespannte Schnüre als Anhaltspunkt für das Gefälle und die sich kreuzenden Muster dienen.

Provisorische Unterteilungen werden dann verwendet, wenn Kiesel die gesamte Fläche bedecken sollen. Formen aus 5 x 10 cm starken Hölzern werden von in den Boden getriebenen Pflöcken fixiert. Als Pflöcke eignen sich z.B. Stahlstangen mit 12 mm Durchmesser (oder sehr stabile Zelthäringe), denn sie halten das wiederholte Hämmern aus und lassen sich gut in den Unterbau einschlagen.

Bei einem sich wiederholenden Muster ist es sinnvoll, die Formen in parallele Bänder passender Breite zu fassen oder bei einem kreisförmigen Muster radial vom Mittelpunkt ausgehende Unterteilungen zu setzen. Für freigestaltete Muster ist es besser, nur jeweils diejenigen Formen zu bauen, die für die Arbeit gerade unmittelbar nötig sind, damit man sich den Arbeitsraum nicht unnötig einengt. Dennoch ist es auch bei einem freigestalteten Entwurf auf einer größeren Fläche nötig, die wichtigsten Punkte des Entwurfs mit Pflökken zu markieren.

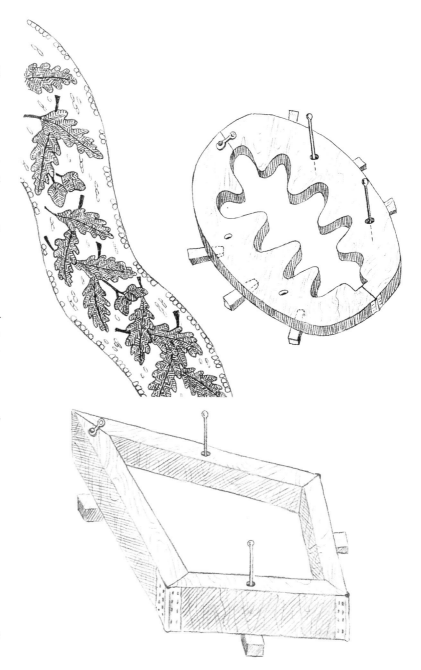

Oben:
Die hölzerne Schablone für das hier gezeigte, sich wiederholende Eichenlaubmuster besteht aus zwei Hälften, die mit Haken und Ösen miteinander verbunden sind.

Unten:
Die Schablone, die als Form für die Rauten in dem Mosaik um den Gartentisch (beschrieben auf den Seiten 71 - 77) diente, ist aus Holzleisten gefertigt, die durch Lederstreifen beweglich miteinander verbunden sind, so daß sie leicht entfernt werden können.

Musterformen und Schablonen

Bei einem Entwuf mit sich wiederholenden Motiven sägt man eine Musterform aus Sperrholz aus (Spanplatte oder Hartfaser sind billiger, aber nicht so haltbar, dennoch meist ausreichend für eine kleinere Anzahl von Formen). Musterformen sind nützlich, um an Ort und Stelle die Umrisse und Größe des Motivs anzuzeigen bzw. zu prüfen (siehe Foto auf Seite 64). Anhand der maßstäblichen Zeichnung wird das Motiv exakt auf das Brett übertragen und die Umrisse mit einer Stichsäge mit feinem Blatt ausgesägt.

Für das Anordnen der Formen und um provisorische Einfassungen für die Kieselfelder zu erhalten, sind in der Praxis Schablonen nützlicher, vor allem bei häufigen Wiederholungen. Man stellt sie her, indem man das Muster aussägt oder umrahmt (siehe Seite 65). Dazu sollte man dickes Sperrholz nehmen, das nötigenfalls außen noch durch zusätzliche Hölzer verstärkt wird. Die Schablone wird an die vorgesehenen Stelle gelegt, mit Pflöcken provisorisch fixiert und mit unterlegten Keilen auf die erforderliche Höhe gebracht. Schablonen lassen sich leichter handhaben, wenn sie aus zwei Hälften bestehen, die mit Haken und Ösen zusammengehalten werden. So können sie leicht entfernt werden, nachdem die Kiesel an Ort und Stelle verlegt sind.

Pflaster auf dem Friedhof Alto de S João in Lissabon in Portugal. Mit Hilfe hölzerner Schablonen konnte dieser klare Entwurf ausgeführt werden. Zunächst wird eine Farbe gelegt, dann die Schablone entfernt und mit der anderen Farbe aufgefüllt. Bemerkenswert ist, daß die Form der einzelnen Steine dem Muster angepaßt sind. Bei der Arbeit mit Kieseln können einzelne Steine mit einer planen Seite ausgewählt werden, um solche klaren Linien zu erhalten, oder man verwendet andere Materialien wie etwa Schieferstreifen.

*Seite 67
Der alte Fahrweg zum Alcazar in Sevilla, Spanien. Die Linien aus großen Steinen teilen die Straße in geometrische Segmente und legen das Niveau der gewölbten Oberfläche fest.*

Kieselsteine legen

Die Kiesel werden in eine Lage Sand eingebettet oder in eine trockene Mischung aus Sand und Zement, die auf den verdichteten Unterbau aufgebracht wird. Viele alte Pflasterbeläge sind nur im Sandbett verlegt und auch heute noch kann man auf diese Weise absolut stabile Kieselmosaike erhalten. Es ist aber sowohl für das reine Sandbett als auch für die Mischung wichtig, daß der Sand aus verschieden großen Teilchen mit scharfkantiger, rauher Oberfläche besteht, damit er sich beim Durchfeuchten gut verdichtet. Für die meisten Arbeiten sollte die Teilchengröße von 5 mm bis Staubgröße reichen. Wird mit kleinen Kieseln gearbeitet, verwendet man besser Sand von 3 mm bis Staubgröße.

Sobald eine Sektion des Mosaiks fertiggestellt ist, werden die Kiesel festgestampft und das Sandbett durch gründliches Durchfeuchten verdichtet, wie im folgenden beschrieben. Zum Schluß wird Sand zwischen die Kiesel gebürstet, um eine gleichmäßige Höhe des Sandbetts zu erreichen.

Nasser Beton

Bei dieser Technik wird als Kieselbett nasser Beton anstelle der trockenen Sand-Zement-Mischung verwendet. Beton ist nur für einfache Arbeiten mit größeren Kieseln geeignet. Die Arbeit muß nämlich zügig innerhalb der Abbindezeit des Betons fertiggestellt werden. Deshalb wird die Fläche in Sektionen unterteilt, die nur so groß sind, daß die angemischte Betonmenge rasch verarbeitet werden kann. Die Oberfläche der Kiesel sollte sauber gehalten werden und die Kiesel dicht aneinander liegen. Denn liegen sie zu weit auseinander, verliert das Mosaik nicht nur an Stabilität, sondern sieht zudem noch schrecklich aus. Das Verlegen im nassen Beton setzt gute Or-

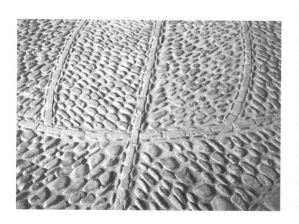

Füllmaterialmischungen: Vor- und Nachteile

Verlegen in reinem Sand
aus: 3 Teile Split (5 mm), 2 Teile scharfer Sand und 1 Teil Bausand

Vorteile:
- *Billig und angenehm zu verarbeiten.*
- *Wasser kann durch das Pflaster in den Untergrund sickern, deshalb in der Nähe von Bäumen empfehlenswert. Drainage hilft auch, die verdichtete Konsistenz des Füllmaterials zu erhalten.*
- *die Kieselsteine können ohne Zeitdruck verlegt werden.*
- *Größere Freiheit bei der Gestaltung des Mosaiks möglich. Eine große Fläche kann direkt an Ort und Stelle bearbeitet werden.*

Aber:
- *Man muß geeigneten Sand finden oder ihn selbst mischen.*
- *Mit der Zeit wachsen Gräser im Sandbett; die Fugen müssen deshalb von Zeit zu Zeit mit einem Schaber gereinigt werden.*
- *Frost kann einzelne Kiesel anheben und die Oberfläche zerstören.*

Trockene Sand-Zement-Mischung
Entspricht einer Betonmischung aus: 3 Teile Split (5 mm), 2 Teile scharfer Sand, 1 Teil Bausand und 1 Teil Zement

Vorteile
- *Undurchlässig für Unkraut (vorausgesetzt, daß Laubreste usw. gelegentlich weggekehrt werden).*
- *Bietet genügend Zeit, um an Details zu arbeiten.*
- *Ist im allgemeinen frostsicher.*

Aber:
- *Zement ist teurer als Sand.*
- *Die Hände müssen geschützt werden.*
- *Der Belag ist wasserundurchlässig, Damit Regenwasser abfließen kann, ist deshalb ein ausreichendes Gefälle der Oberfläche besonders wichtig.*
- *Die Mischung aus Sand und Split muß stimmen.*

Nasse Sand-Zement-Mischung
Bestehend aus: 3 Teilen Split (10 mm), 2 Teilen Sand und 1 Teil Zement. Um die Arbeit zu erleichtern, wird entsprechend den Herstellervorschriften ein an der Luft wirkender Verflüssiger hinzugegeben, sowie ein Verzögerungsmittel, das die Abbindezeit verlängert.

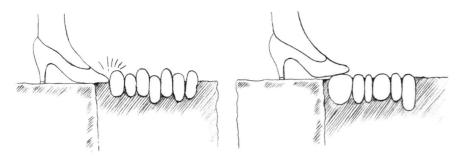

- 8 mm bei Kieseln zwischen 50 bis 75 mm,
- 6 mm bei feiner Arbeit (25 bis 50 mm).

Das Einhalten einer passenden Schattenfuge ist zwar sehr wichtig für den Gesamteindruck des fertigen Mosaiks, kann aber zu einem Problem an den Rändern des Mosaiks führen. Deshalb ist es gut, am Rand größere rundliche Steine zu verwenden, um dort einen Übergang mit sanftem Anstieg herzustellen.

Die Randausbildung eines Kieselmosaiks bedarf besonderer Aufmerksamkeit.

ganisation und etwas Übung voraus, damit alles klappt. So gilt es z.B. die richtige Menge an Beton einzubringen, damit er beim Legen und Feststampfen der Kiesel zwar zwischen den Kieseln hochsteigt, aber *nicht darüber hinaus*. Deshalb ist zu empfehlen, für jede Kieselgröße auf einer Probefläche auszutesten, wie viel Beton aufgebracht werden muß.

Schattenfugen

Die Schattenfuge bezeichnet hier den Abstand zwischen Kieseloberfläche und Höhe der Einbettung. Weil Kiesel abgewetzt und rundlich sind, ist umso weniger von ihrer Form deutlich, je mehr sie in das Füllmaterial eingebettet sind. Damit das Mosaik aber eine lebendige Reliefwirkung erhält, sollte immer eine Schattenfuge vorhanden sein.

Es ist darauf zu achten, daß Regenwasser leicht abfließen kann und sich nicht in den Vertiefungen sammelt, die durch längliche Steine wie z.B. Schiefer entstehen.

Sinnvolle Höhen für die Schattenfugen sind:

- 12 mm bei einer Kieselgröße zwischen 75 bis 100 mm,

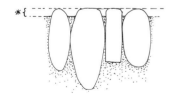

* = Der Überstand (Schattenfuge).

Arbeitstips

- *Den Sand immer mit Folie abdecken (es ist schwierig, eine halbtrockene Mischung anzufertigen, wenn der Sand triefend naß ist).*
- *Die Steine sauberhalten (die Bindekraft des Zements ist geringer, wenn die Steine mit Erde verunreinigt sind).*
- *Die Steine abwaschen, bevor sie verbaut werden, wenn sie vom Strand stammen (Salz ist schlecht für Beton).*
- *Nur so viel Sand-Zement-Mischung herstellen, wie am Tag verarbeitet werden kann. Auch ein trockenes Gemisch härtet über Nacht aus und ist dann voller Klumpen.*
- *Die Hände mit Handschuhen oder einer Schutzcreme schützen. Bei längerem Hautkontakt mit Zement werden die Hände trocken, röten und entzünden sich unter Umständen sogar.*
- *Eine bequeme Arbeitshaltung einnehmen. Beim Knieen am besten Kniepolster verwenden. Kleine Hocker oder Kisten helfen, die unvermeidliche Belastung durch die Arbeit am Boden zu verringern.*

Beispiele im Detail

Dieses Kapitel zeigt Schritt für Schritt die Entstehung zweier Kieselmosaike, die vor Ort gebaut wurden. Das erste ist eine einfache Arbeit für einen Ein-/Übergang, das zweite ein etwas komplizierteres geometrisches Muster. Anhand dieser beiden Beispiele kann der Bau von Kieselmosaiken weitgehend nachvollzogen werden.

Kleine Fische

Dieses Projekt ist auch für Anfänger geeignet. Das Mosaik soll im Garten den Übergang zu einem Fischteich markieren, der dort in der Ecke angelegt ist. Dorthin führt ein kleiner Weg durch die Öffnung einer getrimmten Buchsbaumhecke hindurch. Diese etwas unscheinbare Stelle sollte durch das Mosaik ein wenig aufgewertet werden.

Bei der Größe des Mosaiks von 80 x 50 cm ist nur eine kleine Skizze notwendig. Das Motiv ist einfach, zwei gegenläufige kleine Fische innerhalb einer Umrandung aus Fischgrätmuster.

Als erstes wird die gesamte Breite des Weges bis auf den Unterboden ausgehoben, so daß ausreichend Platz für den Bau der Einfassung zur Verfügung steht. Auf einem Unterbau aus Schotter, Sand und Zement mit reichlichem Gefälle nach außen werden als äußere Begrenzung Klinker mit 8 bis 10 mm breiten Fugen (zur Versickerung von Niederschlagswasser) verlegt und dann ein Rahmen aus 15 cm hohen Sandsteinplatten (Abschnitte aus dem Steinbruch) eingebracht. Auch hier erleichtern kleine Fugen (5 mm) in den Ecken das Abfließen von Wasser.

Die Tragschicht besteht aus sauberem Schotter und Sand. Sie wird glatt abgezogen und sorgfältig verdichtet. Da die verwendeten Kiesel mit 30 bis 50 mm Durchmesser recht klein sind, reicht sie bis etwa 5 cm unterhalb der Oberkante des Weges. Nach dem Verdichten der Tragschicht wird die Fläche halbhoch (25 mm) mit einer trockenen Mischung aus

Langsam wird aus den in das Füllmaterial gedrückten Kieselsteinen die Form des Fisches sichtbar. Beim Verlegen folgt man den von Hand gezeichneten Linien.

Zum Schluß wird das vor Ort entworfene Mosaik mit Wasser besprüht. Zuvor wurde soviel Sand zwischen die Kiesel gebürstet, daß ein Überstand der Kiesel von etwa 5 mm erreicht wird.

Sand und Zement aufgefüllt. Da die Kiesel klein sind, ist es sinnvoll, feinen Sand zu nehmen. Diese Mischung wird gut festgedrückt und die Oberfläche mit einem Stück Holz eingeebnet.

Als nächstes wird das Motiv freihändig mit dem Finger oder einem Stock in die Mischung gezeichnet. Wenn dies nicht auf Anhieb gelingt, kann die Skizze einfach weggewischt und eine neue Zeichnung versucht werden. Danach kann das Legen der Kieselsteine beginnen. Die Kiesel werden so in die Mischung gedrückt, daß sie darin gehalten werden und aufrecht stehen bleiben.

Bei unserem Beispiel wurde als erstes die Umrandung im Fischgrätmuster gelegt, dann das Fischmotiv und schließlich der Hintergrund aufgefüllt. Die Oberkanten der Kiesel dürfen etwa 5 mm über die Höhe der Umrandung hinausragen. Die Höhe der Umrandung gibt das vorgesehene Niveau an, die Kiesel werden dann mit einem Stück Holz auf diese Höhe festgestampft. Bei so kleinen Kieseln ist die Arbeit sehr angenehm und wenig kraftaufwendig.

Nach der Fertigstellung wird das Mosaik mit einem feinen Wasserstrahl durchfeuchtet, und nach dem Trocknen mit einem Pinsel eine letzte Lage Mörtel aus Sand und Zement aufgetragen. Die Kiesel ragen 5 mm aus dem Mörtelbett heraus. Bis das Mosaik vollständig ausgehärtet ist, sollte es mit einer Abdeckung aus Folie geschützt werden.

Ein Eßplatz im Freien

Dieses Projekt ist etwas ehrgeiziger und aufwendiger als die beiden kleinen Fische und verlangt deshalb mehr Vorbereitung und Geduld. Das Mosaik habe ich als Boden für einen Säulen-Eßtisch im Freien entworfen, meinem Lieblingsplatz im Garten. Die Größe des Mosaiks ergab sich durch den Platz, der erforderlich ist, um die Gartenstühle bequem darauf zu stellen, zuzüglich einer ordentlichen Zugabe, um die Stühle zurückschieben und nach einer ausgiebigen Mahlzeit ausruhen zu können.

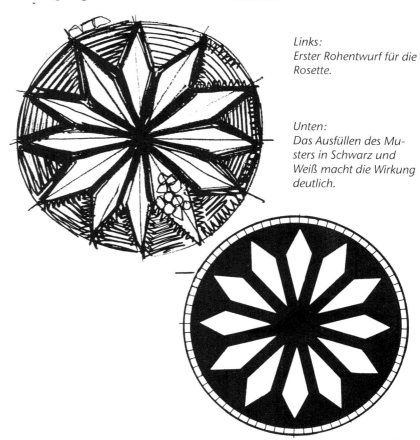

Links:
Erster Rohentwurf für die Rosette.

Unten:
Das Ausfüllen des Musters in Schwarz und Weiß macht die Wirkung deutlich.

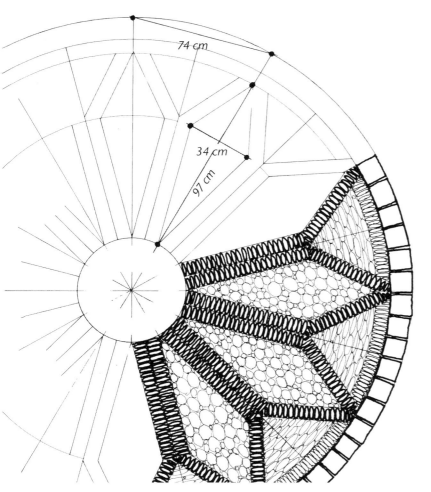

74 cm

34 cm

97 cm

Die Maßstabszeichnung 1:10 (hier verkleinert wiedergegeben)

machte ich mich auf die Suche nach den Kieseln, wobei ich nun schon wußte, welche Größe ich benötigte.

Abmessungen im Original (in Klammern Maße für den 1:10-Plan)
Durchmesser des Mosaiks: 290 cm (29 cm)
Radius: 145 cm (14,5 cm)
Durchmesser der Säule in der Mitte:
56 cm (5,6 cm)
Radius: 28 cm (2,8 cm)
durchschnittliche Breite der Pflastersteine:
12 cm (1,2 cm)
Anzahl der Rauten: 12

Für den maßstäblichen Plan zeichnete ich mit Lineal und Zirkel die Kreise für den äußeren Rand des Mosaiks, für die Säule in der Mitte und für die Einfassung aus Pflastersteinen, wobei ich die Abmessungen in den Maßstab 1:10 umrechnete. Für die Aufteilung des Kreises in zwölf Segmente benutzte ich einen Winkelmesser (12 x 30°). Ich experimentierte mit verschieden Rautenformen: einige berührten sich, einige waren gleichseitig, einige berührten die Säule in der Mitte. Am Ende entschied ich mich für eine gleichmäßige Einfassung der Rauten mit schwarzen Kieseln und für eine Randeinfassung des gesamten Mosaiks mit Granitpflastersteinen. Die Form der Rauten paßte ich entsprechend an. Das Ausmalen der Rautenformen lieferte mir eine recht genaue Vorstellung von der Wirkung des fertigen Mosaiks.

In diesem Stadium lohnt es sich unbedingt, weder Zeit noch Mühe zu scheuen. Kleine Änderungen können auf dem Plan leicht vorgenommen werden und beeinflussen die spätere Wirkung unter Umständen stark.

Die Formgebung

Am Anfang des Projektes stand eine einfache Skizze. Ich wollte ein Motiv, das von der Mitte ausging, um die Kreisform des Tisches zu betonen. Außerdem sollte es sich leicht ausführen lassen. So wählte ich schwarze und weiße Steine, weiße Flachköpfe für ein sternförmiges Rautenmuster und schwarze, gleich große, lange Kiesel für ein Band um jede Raute. Diese Idee habe ich dann sorgfältig in eine maßstäbliche Zeichnung übertragen. Danach

Für die Ausführung hilfreiche Maße
Innenlänge einer Raute: 97 cm
Innenbreite einer Raute: 34 cm
Abstand der Radiallinien am Umfang: 74 cm

Nach der Fertigstellung der maßstäblichen Zeichnung war es ein leichtes, mit dem Lineal die Formen abzumessen und durch Multiplikation mit 10 auf Originalgröße umzurechnen. Um eine Musterform anzufertigen, war es notwendig, die genauen Abmessungen der Rautenform zu ermitteln. Außerdem mußte ich den Abstand der Spitzen der Rauten wissen, um die Musterform vor Ort jeweils an die richtige Stelle legen zu können.

Ausheben der Stelle

Der weiche Mutterboden wurde vollständig abgetragen, bis durchgängig harter Unterboden anstand. Das bedeutete in diesem Fall eine Spatentiefe (30 cm) Aushub; manchmal muß aber auch tiefer gegraben werden (Abb. 1).

Schotter

In die Baugrube wurde Schotter aus sauberem Ziegelschutt und Stein, zusammen mit ausreichend grobem Sand für die Zwischenräume bis auf eine Höhe von 100 mm unter der vorgesehenen Endhöhe des Mosaiks eingebracht (Abb. 2 und 3) und gut verdichtet.

1 Ausheben der Baustelle
2 Auffüllen mit Schotter
3 Verdichten und Einebnen des Schotters
4 Festlegen des Gefälles mit Wasserwaage und Richtlatte

5 Aufteilen des Kreises
6 Holzleisten dienen als Form
7 Platzieren der Schablone
8 Legen der Kiesel
9 Der Sand unter den einzelnen Kieseln wird gut festgestampft
10 Die Kiesel werden eng aneinander gelegt

11

12

11 Die Kiesel ragen über
    die Holzleisten hinaus
12 Feststampfen der
    Kiesel
13 Durchfeuchten der
    Sand-Zement-
    Mischung
14 Einbürsten der oberen
    Schicht, einer Mi-
    schung aus feinem
    Sand und Zement.
15 Das fertige Mosaik
    schmückt den Garten

Die Einfassung

Um das Mosaik einzufassen, wurden schwarze Granitpflastersteine auf ein umlaufendes kleines Betonfundament (etwa 10 cm Höhe) gesetzt (Abb. 5).

Festlegen des Gefälles

Mit Hilfe einer langen Holzlatte und der Wasserwaage setzten wir einige Pflastersteine so, daß sie die höchsten und niedrigsten Punkte des Gefälles markierten. Um ein gleichmäßiges Gefälle auf der ganzen Fläche zu erhalten, war es sinnvoll, noch ausreichend viele Zwischensteine dazwischen anzuordnen. Nun bereitete es keine weiteren Schwierigkeiten mehr, den Kreis mit Pflastersteinen zu schließen, wobei von einem Markierungsstein zum nächsten gearbeitet wurde.

Um die Kieselrauten zu setzen, dienten nun die Pflastereinfassung und eine angezeichnete Linie um die Mittelsäule als Anhaltspunkte (Abb. 7).

13

14

15

Das Motiv anzeichnen

Am äußeren Umfang der Einfassung wurden nun zwölf Punkte angezeichnet, die Abstände ergaben sich aus der Maßstabszeichnung, d.h. in diesem Fall 74 cm. An den 12 Punkten wurden Pflöcke in den Boden getrieben und der Kreis mit Schnüren in zwölf gleiche Abschnitte geteilt. Da sich die Säule des Tisches bereits an Ort und Stelle befand, ergab sich in der Mitte eine weitere Schwierigkeit, die durch Improvisation gelöst wurde. Anderenfalls wäre nur ein Holzpflock in der Mitte ausreichend gewesen. (Abb. 6, Seite 74)

Aus Sperrholz stellte ich eine Schablone für die Rauten her, wobei ich die Maße aus der Zeichnung abnahm.

Das Setzen der Schablonen

Als provisorische Begrenzung für die Kreissegmente haben sich 10 x 5 cm breite Holzlatten als ausreichend erwiesen. Sie sind stark genug, um das Feststampfen der eng gesetzten Kiesel auszuhalten, und ausreichend hoch, um fast die gesamte Höhe des Mosaiks zu fassen (Abb. 7, Seite 74) . Die Latten wurden in Position gebracht und mit Keilen (Schiefer- oder Dachziegelstücke) auf die richtige Höhe justiert. Für die Schattenfuge rechneten wir hier einen Überstand von 12 mm.

Um die Latten an Ort und Stelle zu fixieren, wurden 30 cm lange Stahlstangen als Pflöcke in das Fundament geschlagen.

Tip: Für die Verlegearbeit ist es hilfreich, die Fläche in Teilflächen von etwa 0,1 bis 1 Quadratmeter zu unterteilen.

Innerhalb des Kreissegmentes wurden nun auch die Rauten provisorisch markiert, und zwar folgendermaßen: Im vorgesehenen Abstand zu den Segmentabschnitten wurden 10 cm breite, passend zugeschnittene Sperrholz- oder Preßspanstreifen hochkant so hingestellt, daß sie die Raute begrenzen. Diese Fläche wurde halbhoch mit der Sand-Zement-Mischung gefüllt und festgeklopft. Die provisorischen Wände halten die Kanten gerade und die Raute am richtigen Platz. Nachdem die Raute mit Kieseln gefüllt war, entfernten wir die Holzform vorsichtig, um auch den Rest der Fläche füllen zu können.

Legen der Kiesel

Die verbliebene Fläche zwischen den Holzlatten wurde nun halbhoch mit Sand bzw. der Sand-Zement-Mischung gefüllt und festgeklopft. Beim Verlegen der Kiesel ist es sinnvoll, immer einen kleinen Vorrat an loser Mischung zur Hand zu haben, um beim Fortschreiten der Arbeit um die Kiesel herum auffüllen zu können (Abb 8, Seite 74).

Die Kiesel wurden so in die Mischung gedrückt, daß sie die Höhe der Form leicht überragten. Mit einem abgerundeten Stock (das Ende des Hammer- oder Fäustelstieles eignet sich dafür) wurde zuvor die Mischung unter jedem Kiesel noch einmal nachverdichtet (Abb. 9, Seite 74). Dasselbe Werkzeug dient auch dazu, bei Bedarf lose Mischung zusammenzuschieben und hochzudrücken. Durch das Verfestigen der Mischung unter den Kieseln sollte sichergestellt werden, daß keine Vertiefungen mit lockerem Material entstehen, die im Laufe der Zeit absinken und eine Schwachstelle bilden, wo sich Wasser sammelt und bei Frost leicht Eis entsteht.

Auch hier ist es auf jeden Fall sehr wichtig, die Kiesel eng aneinander zu setzen. Sie sollten sich ohne Zwischenraum an ihren senkrechten Seiten berühren (Abb. 10 und 11). Darin liegt ja die Stärke der Konstruktion – alle Steine sind so eng aneinander gesetzt und hängen miteinander zusammen, daß sie einfach nirgendwohin ausweichen können. Vorhandene Zwischenräume ermöglichen seitliche Bewegung, und wenn erst einmal ein Kiesel den festgeschlossenen Verband mit seinen Nachbarn verläßt, kann es zu einem „Erdrutsch" führen. Der Verband könnte wie ein Kartenhaus zusammenbrechen und am Ende ein Loch im Pflaster bilden.

Vor dem Feststampfen sollten die Kiesel nun etwa 12 mm über die Höhe der Form hinausragen.

Jetzt muß die Kieselfläche mit einem starken, ebenen Stück Holz kräftig gestampft werden, bis das Stampfholz auf einer Ebene mit den Rautenformen liegt. Da die Kiesel nach *unten* getrieben werden, verdrängen sie die darunter liegende Mischung ein wenig und treiben diese zwischen den Kieseln nach *oben* (Abb. 12, Seite 75).

Fertigstellung

Der Untergrund aus Sand-Zement-Mischung muß nun gut mit Wasser durchfeuchtet werden, um die Mischung zwischen den Kieseln zu verfestigen und gleichzeitig den Zement zu aktivieren (Abb. 13, Seite 75). Er sollte über Nacht aushärten können (oder solange, bis daran weiter gearbeitet wird), wobei das Mosaik vollständig mit einer Plastikplane bedeckt wird, damit es nicht austrocknet.

Zur endgültigen Fertigstellung der Oberfläche wird die Plane entfernt, damit das Mosaik trocknen kann. Eine Mischung aus feinem Sand und Zement im Verhältnis 3:1 dient als Mörtel, den man über die Oberfläche bürstet, bis die Wirkung zufriedenstellend ist (Abb. 14, Seite 75). Dann besprüht man es sanft mit Wasser, am besten aus einem Gartensprühgerät, bis die Mischung völlig durchfeuchtet ist. Falls irgendwo kleine Löcher auftauchen, wird der Vorgang wiederholt.

Nach einer Aushärtungszeit von drei bis vier Wochen ist das Mosaik fertig (Abb. 15). In dieser Zeit sollte es abgedeckt bleiben.

Fertigguß-Technik

Das Hauptproblem beim Bauen von Kieselmosaiken vor Ort ist das Wetter. Die Fertigung von Mosaiken ist einerseits eine zeitaufwendige Beschäftigung, andererseits sind der Arbeitszeit bei kaltem Wind oder unter brennender Sonne Grenzen gesetzt. Regen macht eine Weiterarbeit völlig unmöglich. Das Mosaiklegen vor Ort ist eine Beschäftigung vorzugsweise für witterungsmäßig perfekte Tage, wenn das kindliche Vergnügen am Spiel mit Kieseln und Sand durch die Hoffnung auf ein nützliches und schönes Endergebnis verstärkt wird.

Die Form wird auf dem Entwurf bzw. um das Muster herum aufgebaut.

Ganz abgesehen von der Witterung wirkt das stundenlange Knien und Bücken abschreckend, vor allem für diejenigen, die nicht mehr so jung sind.

Die von mir entwickelte Fertiguß-Methode umgeht diese ganzen Probleme. Die Arbeit kann vergleichsweise bequem in der Werkstatt ausgeführt werden, und das in einer für das Sitzen oder Stehen geeigneten Arbeitshöhe.

Das Mosaik wird in handliche Stücke aufgeteilt, die später vor Ort wie ein großes Puzzle zusammengesetzt werden. Die einzelnen Stücke werden separat angefertigt, und die Konstruktion folgt dem Prinzip des umgestülpten Kuchens – zuerst die Pflaumen zugeben, dann den Sirup und zum Schluß die Teigmischung; nach dem Backen umdrehen.

Das hört sich leicht an, ist es aber leider nicht. Um gute Ergebnisse zu erhalten, sind vielerlei Versuche und so manches Übungsstück unumgänglich. Wer mit dem Kieselmosaiklegen erst am Anfang steht, sollte auf gutes Wetter warten und die ersten Stücke vor Ort anfertigen, um auf diese Weise Erfahrung bei der Auswahl und der Platzierung der Kiesel zu gewinnen.

Das Bild spiegeln

Das Motiv des Mosaiks wird in Originalgröße gezeichnet, wie es auf Seite 56 - 58 beschrieben ist. Da bei der Fertiguß-Methode spiegelbildlich gearbeitet wird, ist es notwendig, die originalgroße Zeichnung ebenfalls zu spiegeln (außer der Entwurf ist symmetrisch). Anderenfalls ist das Motiv beim Ausschalen der fertig gegossenen Platten seitenverkehrt.

Die einfachste Methode zum Spiegeln des Bildes ist das Anfertigen einer Maßstabszeichnung auf transparentem Pauspapier, die man dann umgedreht photokopiert. Von dieser Vorlage wird dann die originalgroße Zeichnung hergestellt.

Um das Mosaik in beherrschbare Stücke zu unterteilen, zeichnet man am besten die Schnittlinien mit einem 10 mm breiten Tuschestift ein. Vorzugsweise werden die Schnittlinien dorthin gelegt, wo sie den Fluß des Motivs am wenigsten stören, oder so, daß sie ein Hintergrundmuster bilden, ähnlich wie die Metallstreben bei einer Bleiverglasung. Ein Segment sollte nicht größer als ein

Die Kiesel werden umgekehrt auf den Boden der Form in eine Lage Sand gesetzt, dann wird Sand um sie herum verteilt.

halber Quadratmeter sein. Denn je größer es ist, um so schwerer wird es.

Die Originalzeichnung wird nun in der Mitte der angezeichneten Schnittlinien auseinandergeschnitten und die Stücke auf einem maßstäblichen Plan numeriert, um spätere Verwirrung zu vermeiden. Diese Nummern werden auch auf die Rückseite der frisch gegossenen Platten geritzt.

Formenbau

Jedes Segment benötigt eine eigene Form. Wird eine Form mehrfach verwendet, lohnt es sich, eine dauerhafte Form aus Holz oder Fiberglas zu bauen.

Eine Holzform wird hier für sich wiederholende Segmente einer kreisförmigen Bordüre verwendet. Wenn sie mit Lack gut versiegelt ist und vor jedem Gebrauch gewachst wird, kann so eine Form zwanzig- bis dreißigmal verwendet werden. Sollte sie noch öfter benutzt werden können, ist es sinnvoll, eine besonders haltbare Form aus glasfaserverstärktem Kunststoff anzufertigen. Hier wird gerade Sand eingefüllt, damit die Sandschicht gleichmäßig hoch steht.

Jedes Motivsegment wird auf ein starkes, ebenes Brett gesetzt und die jeweilige Form darum gebaut. Die Höhe der Form hängt von der Größe der Kiesel ab, aber eine Höhe von 75 bis 85 mm ist in jedem Fall praktisch und stark genug. Die Seiten der Form können aus geraden Kantholzstücken, aus abgerundeten Holzklötzen, aus Abschnitten von PVC-Rohr mit verschieden großen Rundungen und/oder irgendwelchen anderen Materialien zusammengesetzt werden, um insgesamt den gewünschten Umfang zu erzeugen.

Die Wände der Form werden mit starkem Klebeband zusammengehalten und ihre Position durch Holzklötze fixiert, die an die Grundplatte genagelt werden. Die ganze Konstruktion ist zwar provisorisch, muß aber stabil genug sein, um das Stampfen und Rütteln beim Gießen auszuhalten. Genauigkeit ist wichtig, die Wände müssen exakt senkrecht sein, und man muß dem ausgeschnittenen Umfang des Musters präzise folgen – sonst passen die Stücke des Puzzles später nicht zusammen!

Setzen der Kiesel

Die Kiesel werden mit der vorgesehenen Oberseite nach unten gelegt, und zwar senkrecht eng aneinander, genau so wie beim Legen vor Ort. Nur muß man hier zunächst die richtige Seite aussuchen und den Kiesel dann vorsätzlich kopfüber platzieren.

Während die Kiesel gesetzt werden, streut man auf den Boden der Form trockenen Sand als Unterfütterung um sie herum (durchschnittlich 10 mm hoch zum Freihalten der Schattenfugen) – dieser Sand wird später weggewaschen. Es ist ziemlich schwierig, sich genau vorzustellen, wie es auf der Unterseite der unregelmäßig geformten Kieseln aussieht, und es bedarf einiger Übung, um eine gleichmäßige Sandtiefe zu erreichen. Jeder kleine Fehler kann die Wirkung des fertigen Stücks beeinträchtigen. Praktisch ist ein dünnes Hölzchen mit einer Kerbe, um die Sandtiefe zu testen. Stellen mit zu dünner Sandschicht werden aufgefüllt, indem man trockenen Sand nachrieseln läßt. Ein kleiner Pinsel ist hilfreich, um beim Fortschreiten der Arbeit immer wieder trockenen Sand um die Kiesel herum aufzufüllen.

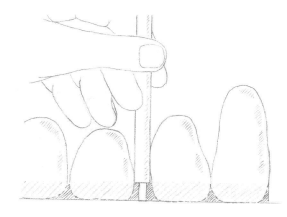

links
Die Sandtiefe wird mit einem eingekerbten Hölzchen kontrolliert.

unten
Der Mörtel wird über die Kiesel gegossen; es ist darauf zu achten, daß alle Zwischenräume ausgefüllt werden.

Mörtel gießen

Nun werden die Zwischenräume zwischen den Kieseln mit dünnflüssigem Mörtel gefüllt, der auch in die kleinen Spalten zwischen den Kieseln bis auf die Sandschicht durchdringt. Da gewöhnlicher Mörtel beim Erhärten schwindet, was zu Problemen führen würde, sollte hier ein spezieller, nichtschrumpfender Zementmörtel verwendet werden, der als gebrauchsfertige Mischung aus Portlandzement, Füllmitteln und Additiven angeboten wird. Im gut sortierten Baustoffhandel ist er unter verschiedenen Markenbezeichnungen erhältlich.

Bevor der Mörtel gegossen wird, sollte der Sand auf dem Boden durchfeuchtet werden, indem man ihn mit Wasser aus einem feinen Drucksprüher besprüht. Der Mörtel wird gemäß Herstellerangaben mit Wasser gemischt und gleichmäßig über die Kiesel gegossen. Vorsichtiges Klopfen auf die Auflageflächen

Die Form wird mit Beton gefüllt, der dann festgestampft und gerüttelt wird.

rund um die Form hilft, im Mörtel enthaltene Luftblasen aufzulösen. Nun läßt man den Mörtel etwa zwei Stunden lang soweit abbinden, daß er noch knetbar ist; dadurch wird verhindert, daß die Kiesel beim anschließenden Gießen des Betons ihre Lage verändern.

Ausgießen der Form

Nun wird die Betonmischung vorbereitet – 10 mm Kies, Sand und Zement im Verhältnis 3:2:1, wobei gerade nur so viel Wasser zugegeben wird, daß eine verarbeitbare Masse entsteht. Sinnvollerweise kann man Betonverflüssiger zugeben. Der Beton wird in die Form geschaufelt, festgedrückt und (wenn möglich) auf einem Rütteltisch auf niederster Stufe sanft gerüttelt. Die Form sollte über Nacht mit einer Plastikplane abgedeckt werden, um ein zu schnelles Austrocknen zu verhindern.

Ausschalen der Platten

Am nächsten Tag können die Platten ausgeschalt werden, nur bei Kälte ist es besser, damit zwei Tage zu warten. Die Platten werden nicht aus der Form genommen, sondern die Form wird nach und nach abgebaut, die Platte umgedreht und der Sand abgespült. Die Platten sollten sorgfältig behandelt werden, da es mindestens drei Tage dauert, ehe sie einigermaßen fest sind - sie werden im Verlauf des Aushärtungsvorgangs innerhalb von vier Wochen immer stabiler.

Kleinere Fehler können in diesem Stadium korrigiert werden. Wenn z.B. der Mörtel bis auf die Oberfläche der Kiesel durchgesickert ist, kann man ihn noch wegmeißeln, und kleinere Luftblasen können mit frischem Mörtel aufgefüllt werden.

Aushärten

Jede Platte muß vier Wochen lang aushärten und sollte während dieser Zeit in eine Plastikplane gehüllt sein, um die Wasserverdunstung zu verlangsamen.

Zusammenbau

Eine richtig gefertigte Gußplatte ist nach hinreichender Aushärtungszeit wirklich stabil. Dennoch sollte man beim Verpacken für den Transport sorgfältig vorgehen: Immer die Platten *hochkant stellen* und *fest verkeilen*, um eine Beschädigung der Kanten zu vermeiden.

Die Vorgehensweise beim Zusammenbau ist ähnlich dem Verlegen anderer größerer Betonplatten; die größere Stärke der Platten und die verschiedenen Formen machen die Arbeit allerdings etwas schwerer. Dabei darf man nicht vergessen, daß die Betonplatten zwar druckstabil sind, aber nicht auf Zug belastet werden dürfen, da das die Platte zerstören würde.

Die Platten verlegen

Die Vorbereitungen des Untergrundes dort, wo die Platten letztendlich zu liegen kommen, entsprechen in groben Zügen denen, die im Kapitel über das Legen von Mosaiken vor Ort beschrieben wurden. Jede Platte wird auf ein etwa 25 mm starkes Mörtelbett (3:1 Sand und Zement) gelegt, wobei die Mischung ausreichend nachgiebig sein sollte, so daß sich die Platten mit einem Gummihammer auf die richtige Höhe bringen lassen. Dabei ist darauf zu achten, daß keine größeren Steine unter der Platte liegen, da diese unter dem Gewicht eines Fahrzeugs Risse in der Platte bewirken können.

Das Einpassen unregelmäßig geformter Puzzlestücke, und besonders des letzten Stücks, erfordert den Einsatz starker Gurte (Klettergurte, alte Sicherheitsgurte oder Plastikband), um sie in die endgültige Position zu rücken. Nachdem die Platten ausgerichtet und eingebettet sind, kann man die Gurte unter den Platten herausziehen.

Hier werden die letzten Stücke eines Gartenmosaiks gesetzt.

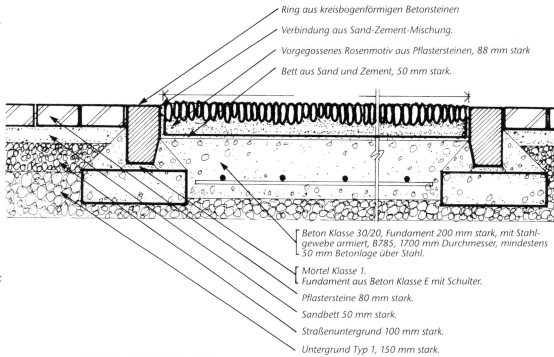

Der Querschnitt durch Straße und Mosaik (hier: Rose Street, Edinburgh, England) zeigt das verstärkte Fundament und die stabile Randeinfassung.

Ring aus kreisbogenförmigen Betonsteinen

Verbindung aus Sand-Zement-Mischung.

Vorgegossenes Rosenmotiv aus Pflastersteinen, 88 mm stark

Bett aus Sand und Zement, 50 mm stark.

Beton Klasse 30/20, Fundament 200 mm stark, mit Stahlgewebe armiert, B785, 1700 mm Durchmesser, mindestens 50 mm Betonlage über Stahl.

Mörtel Klasse 1.
Fundament aus Beton Klasse E mit Schulter.

Pflastersteine 80 mm stark.

Sandbett 50 mm stark.

Straßenuntergrund 100 mm stark.

Untergrund Typ 1, 150 mm stark.

Das vorgefertigte Mosaik in Edinburgh hält der Beanspruchung durch schweren Verkehr stand.

Verfugen

Zum Schluß werden die Fugen zwischen den einzelnen Platten geschlossen. Dabei verwendet man wieder nichtschwindenden Mörtel, der vorsichtig aus einem Krug gegossen wird. Dann müssen nur noch – falls vorhanden – Spritzer abgewischt und das Mosaik für einige Tage mit einer Plastikplane abgedeckt werden, um es bis zum Erhärten des Mörtels zu schützen.

Ein Mosaik zur Jahrtausendwende in Wray in Lancashire, England. Die Umrandung wurde in der Werkstatt der Autorin vorgefertigt. Den Mittelteil verlegten Gemeindemitglieder: Dazu waren 5 Tage, 50 Personen und viel Konzentration erforderlich. Die Umrisse des Motivs wurden mit Sperrholzformen festgelegt. Die interessanten länglichen Sandsteine stammen aus einem nahegelegenen Fluß.

links:
Der Fasan zeigt eine
Menge an Detailarbeit.
Schnabel und Füße sind
aus grünem Schiefer ge-
schnitten, die leuchten-
den grünen Steine auf
dem Kopf verleihen ihm
einen realistischen Aus-
druck.

Rechte Seite oben:
Ein großes Mosaik aus
Feuersteinen bei der Fer-
tigstellung vor Ort. Um
die vorgesehene Höhe
des fertigen Mosaiks ein-
halten zu können, wur-
den Ziegelsteine als vor-
läufige Begrenzung ver-
legt.

unten:
Der letzte Arbeitsschritt
bei der Verlegung eines
vorgefertigten Mosaiks:
Mörtel wird sorgfältig
zwischen die Steine ge-
gossen, um die Fugen zu
füllen.

Kinder in einer Grundschule fertigen schmale Mosaike an, die als Randsteine für einen Weg zum Schulspielplatz eingelassen werden sollen. Hier wurden Eiskrembehälter aus Kunststoff als verlorene Schalung benutzt. Jedes Kind war aufgefordert, einen eigenen, besonderen Kieselstein mitzubringen. Außerdem standen eine Reihe unterschiedlicher Kiesel zur Verfügung, mit denen sie ihre Ideen ausführen konnten.
unten: Eine „Trockenübung" mit Sand in kleinen Kästen ist eine gute Vorübung um das Mosaiklegen zu lernen

Rechte Seite
Ein großes Mosaik als Lernprojekt in traditioneller Arbeitsweise vor Ort mit Kieselsteinen aus der Region.

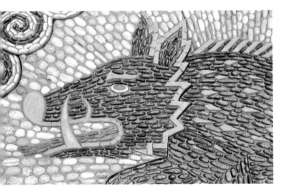

Beispiele für Formen,
Farben und Steinarten

Linke Seite
Die gestalterische Über-
setzung dieser typischen
chinesischen Drachen in
ein Kieselmosaik erfor-
derte einen klaren Kon-
trast von Farbe und Be-
schaffenheit der Steine.
Flacher roter Granit für
die Drachen hilft, sich
die Schuppen vorzustel-
len, die hervorstehenden
Augen sind mit glänzen-
den kleinen weißen
Marmorkieseln betont.
Die stilisierte Gestaltung
des Mundes ist dem ur-
sprünglichen chinesi-
schen Stil nachempfun-
den (siehe auch die Kat-
ze auf Seite 29).

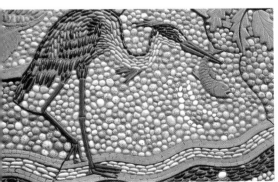

Dieses Mosaik wurde 1998 fertiggestellt und hat einen Durchmesser von 8 Metern. Solch große Mosaike erfordern gute Teamarbeit und viele Hände. 6 Kunsthandwerker stellten das Mosaik in 4 Monaten fertig: Es besteht aus 168 Abschnitten.

Rechte Seite
Das Thema „Paradiesgarten" versinnbildlicht die Freuden in Lytham, einer Feriensiedlung an der Nordwestküste Englands. Die große rote Rose (das Wahrzeichen der Grafschaft) in der Mitte breitet ihre Blattstiele in das „Universum" aus und verbindet so die belebte Erde in Form von Tieren, Vögeln und Pflanzen. Umgeben wird das Mosaik von einer Bordüre, die das Meer mit Fischen und anderen Meerestieren darstellt.

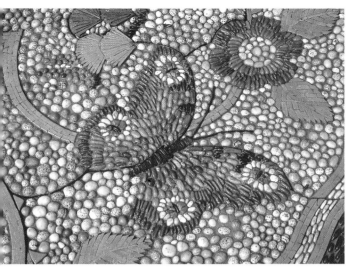
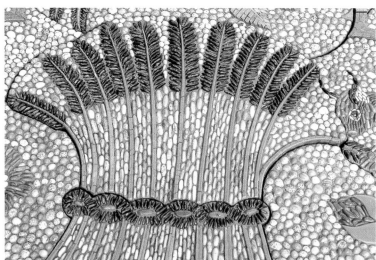

Ein großes Mosaik in Bournemouth, England, 1999 fertiggestellt.
Neptun und seine Meerjungfrauen, die sich an der Mündung des Flusses in das Meer tummeln sind eine Phantasie, mit der der Ursprung der Stadt am Wassser illustriert werden soll.

rechts:
Bevor das Mosaik zu seinem Bestimmungsort gefahren werden kann, wird es in der Werkstatt zusammengesetzt, um zu prüfen, ob alles zusammenpaßt.

oben:
An seinem Bestimmungsort erscheint das Mosaik winzig. Kontrastierende Granitpflaster umrunden das Mosaik und verbinden es mit seiner Umgebung. Die Neugestaltung dieses Platzes hat viele Preise gewonnen.

Linke Seite
Der würdevolle Neptun erhielt eine heitere Note durch den kecken Tintenfisch, der seine Tentakel um das Haupt schlängelt.

Gestaltungsideen

Ein Kieselmosaik besteht aus kleinen Farbflecken, ähnlich wie die Pinseltupfer in einem pointillistischen Gemälde oder wie die Stiche einer Stickerei. Jeder Stein in einem Kieselmosaik repräsentiert einen Tupfer oder Punkt, und für eine erkennbare Form benötigt man eine beträchtliche Anzahl solcher Punkte.

Daraus folgt natürlich, daß in einem kleinen Mosaik wie etwa vor dem Eingang eines Hauses der Inhalt des Bildes einfach sein muß, mit klaren Konturen und einem Minimum an Details. Jeder, der es sieht, sollte die Bildaussage sofort ohne Schwierigkeiten erkennen können.

Ein Motiv von der Alhambra in Granada/ Spanien.

Muster, die auf einem Raster aus Kreisen und Bögen beruhen:

Oben links: Aus Guimaraes in Portugal

Oben rechts: Aus dem Garten des Generalife in Granada/Spanien.

Mitte: Aus dem Vianapalast in Cordoba/Spanien.

Unten links: Ein Muschelmotiv aus Madeira; die Variante stammt aus Guimaraes, Portugal

Unten rechts: Traditionelles portugiesisches Wellenmuster, wie es auf dem Rossio in Lissabon und in Rio de Janeiro/ Brasilien zu finden ist.

Bei größeren Mosaiken ist es möglich, eine etwas komplexere Darstellung von Bildern zu versuchen und Details in Farbe, Muster und Form innerhalb des Motivs auszuführen. Aber auch hier ist es ratsam, die Motive immer einfach und klar zu halten, vor allem, wenn sie mit geometrischen Rahmen, Bordüren und ähnlichen Verbindungselementen eingefaßt sind.

Maschinen und mechanische Werkzeuge, die als Symbole für Industrie und Handwerk stehen können, sind leider schwierig in das Medium Kieselstein zu übertragen. Organische Objekte und die kosmische Welt sind als Motive weitaus besser geeignet. Obwohl die Geschichte eines Ortes stark für die Darstellung eines Gegenstandes wie etwa einer historischen Dampfmaschine auf dem Pflaster sprechen kann, sind vermutlich alle Anstrengungen, dies mit dem Medium Kieselstein auszudrücken, eher enttäuschend. Ein solches Bild direkt in eine Steinplatte zu hauen oder sandzustrahlen, ist sicherlich eine bessere Lösung, weil das Objekt dadurch präziser dargestellt werden kann.

Muster auf großen Flächen

Sich wiederholende Muster erzeugen einen wunderbaren, teppichähnlichen Effekt auf großen Flächen. Einfassungen helfen dabei, die lebhafte Oberfläche des Mosaiks mit dem Erscheinungsbild des übrigen Platzes zu verbinden. Je größer die Fläche, desto öfter gibt es Wiederholungen, und desto eindrucksvoller ist die Wirkung.

Die hier gezeigten Beispiele stammen aus Spanien, Italien, Portugal und Madeira. Auch wenn einige Muster sehr einfach erscheinen mögen, sind sie doch alle sehr wirkungsvoll. Für die Herstellung sind immer nur einfache Schablonen erforderlich.

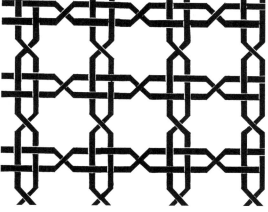

Links:
Dieser optische Effekt wurde erreicht, indem man Sechsecke in 3 Rauten mit verschiedenen Farbtönen unterteilte. Alle Senkrechten und Diagonalen sind parallel. Aus Elvas/Portugal.

Rechts:
Dieses ineinander verwobene Muster basiert auf einem quadratischen Raster, das um 45° versetzt darüber gelegt wurde. Von der Alhambra in Granada/ Spanien.

Kiesel in Verbindung mit anderen Materialien

Man kan in Spanien viele attraktive Muster finden, bei denen Kiesel als strukturgebendes „Füllmittel" in Anordnungen aus Platten, Pflastersteinen, Ziegelsteinen oder Fliesen eingebunden sind. Diese anderen Materialien erfüllen oft zwei Aufgaben, sie verstärken die Oberflächen, die das Gewicht von Fahrzeugen tragen müssen, und sie definieren gleichzeitig das Gefälle für die gesamte Fläche.

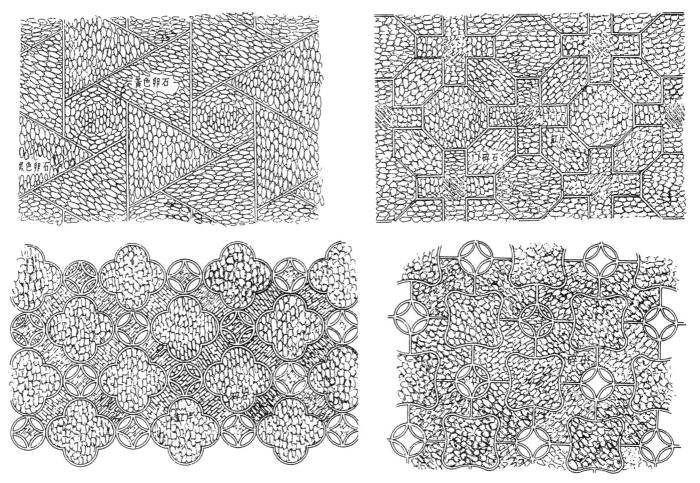

Traditionelle chinesische Muster aus dem 1631 zuerst veröffentlichten Buch "Yuan Ye" (Die Kunst des Gartens) von Ji Cheng. Zur Unterteilung der geradlinigen Muster könnte man Schiefer oder Stein verwenden (siehe auch das Farbphoto auf Seite 28).

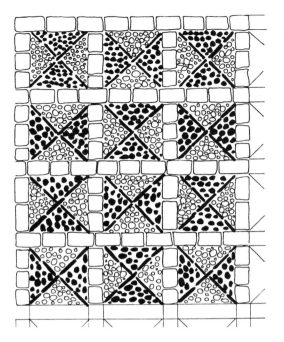

Links:
Linien aus Pflastersteinen unterteilen eine Straße in Granada, Spanien in Quadrate mit ungefähr 600 mm Kantenlänge. Diese werden durch hochkant gestellte dünne Ziegel oder Fliesen geviertelt und dann abwechselnd mit schwarzen und weißen Kieseln gefüllt.

Rechts:
Ein traditionelles islamisches Muster in einem Innenhof in Sevilla, Spanien, das auf übereinander gelegten Quadraten basiert. Hochkant gelegte Ziegel bilden die Umrandung für das Kieselpflaster. Manche Ziegel sind sorgfältig passend behauen.

Links:
Kiesel in Verbindung mit örtlichem Marmor; das Karomuster auf dieser Straße in Ronda/Spanien ist diagonal verlegt.

Rechts:
Hellgraue Kalksteinkiesel als Füllung kombiniert mit Ziegelsteinen und glasierten Fliesen in der Alhambra in Granada/Spanien.

Links unten:
Ein sehr schönes Wellen-
muster auf einer Terrasse
der Villa Garzoni, Italien.
Die Form wird durch eine
Reihe weißer langer Steine
betont, welche die schwarze Welle umrahmen. Eine
Einfassung durch ein Band
roter Kiesel verstärkt den
Kontrast. Um die regel-
mässige Form der Wellen
zu schaffen, ist eine Form
oder Schablone notwen-
dig.

Rechts unten:
Dieses Muster, ein gewun-
denes Band, stammt aus
Braga/Portugal und könn-
te auch mit Kieseln ausgeführt werden.

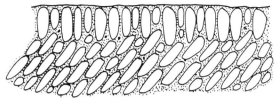

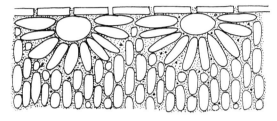

Die einfachsten Formen einer Einfassung für kleinere Mosaike.

Einfassungen

Bei kleinen einfachen Arbeiten erzeugt eine schmale Umfassung, etwa eine einzelne Reihe langer Kiesel, die zur Mitte weisen, einen angenehmen Effekt.

Große dekorative Einfassungen und Bordüren können schon einzeln betrachtet sehr schön wirken, vor allem wenn sie Motive betonen und enthalten, Flächen mit einfachem Kieselwerk ausschmücken oder dazu dienen, eine Beziehung zwischen dem Kieselmosaik und der Architektur bzw. dem Erscheinungsbild des Platzes herzustellen. Schleifen, Mäander und Karos sind einfache, gängige Muster für Einfassungen und Bordüren, die durch verschiedenartige Steine und Farben abgewandelt werden können.

Blumen und Blätter

Blumen können im Profil dargestellt werden oder als vollständig geöffnete Blüten in der Aufsicht. Botanische Genauigkeit ist unmöglich. Blätter, Zweige, Ranken und Stiele sind für alle möglichen Anordnungen nützlich, nicht nur wegen ihres eigenen dekorativen Wertes, sondern auch als Bindeglieder, die sich durch ein Bild schlängeln.

Das offizielle Rosenmuster und die Abwandlung.

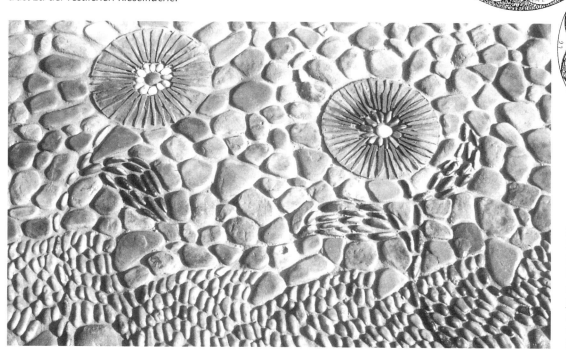

Die Wappenrose wurde für dieses große formale Mosaik (siehe auch Seite 43) angepaßt. Die einzelnen Rosenblätter aus Schiefer stehen im guten Kontrast zu der restlichen Kieselfläche.

Blumen aus gespaltenen Schieferstücken mit hellen Quarzkieseln in der Mitte. Sie wurden in 300 mm großen Formen vorgefertigt und später in eine große, mit einfachen Kieseln gepflasterte Fläche eingearbeitet.

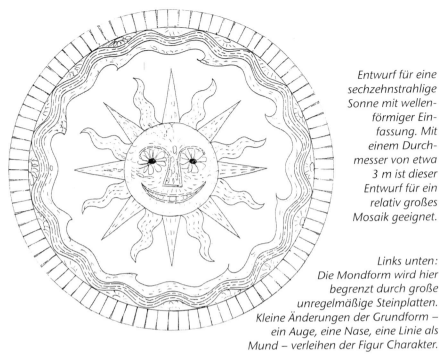

Sonne, Mond und Sterne

Entwurf für eine sechzehnstrahlige Sonne mit wellenförmiger Einfassung. Mit einem Durchmesser von etwa 3 m ist dieser Entwurf für ein relativ großes Mosaik geeignet.

*Links unten:
Die Mondform wird hier begrenzt durch große unregelmäßige Steinplatten. Kleine Änderungen der Grundform – ein Auge, eine Nase, eine Linie als Mund – verleihen der Figur Charakter.*

Eine Sonne kann sowohl aufwendig mit vielen wellenförmigen Armen und Strahlen dargestellt werden, oder in einfacher Strahlenform, so, wie sie Kinder oft zeichnen (siehe auch S. 32/33). Gibt es einen Mann im Mond? Besitzt die Sonne ein Gesicht? Fest steht, daß Bilder von Himmelsobjekten leicht erkennbar und damit dankbare Objekte für Kieselmosaike sind.

Einfache Sternformen können in einer nahezu unbegrenzten Anzahl von Varianten dargestellt werden: mit vier, fünf, sechs oder mehr Zacken, dünn oder dick und alles dazwischen. Wie die Sonne ist auch ein Stern als Motiv für ein kreisförmiges Mittelstück sehr geeignet.

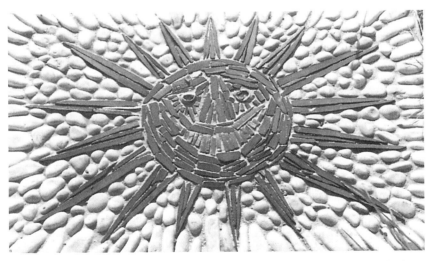

Bei diesem freundlichen Muster für einen Eingangsbereich wurden spitze Schieferabschnitte, Feuersteine für die Augen und Stückchen von Bodenfliesen für den Mund verwendet. Der Hintergrund aus flachköpfigem weißen Kalkstein zeigt die einfachste Art einer Einfassung – große längliche Steine, die nach innen weisen.

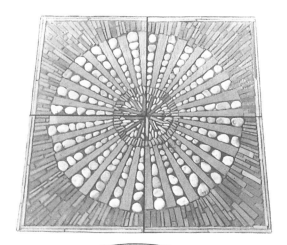

Oben: Eine Sternform für einen Freisitz. Die mit 1 m Durchmesser recht kleine Fläche wird durch die sie umgebenden Reihen von Pflastersteinen betont.

Oben rechts: Ein Glücksfund in Form von keilförmigen Schieferabschnitten führte zu diesem Sonnenmosaik, das aus vier jeweils 600 mm breiten, gegossenen Platten zusammengesetzt ist.

Dieses kleinteilige Motiv eines schlafenden Mondes, aus dem Blumen und Funken wie Träume wachsen, wurde von der Autorin für ein 4 m großes Wasserbecken entworfen.

Links: Das fertiggestellte Mosaik des schlafenden Mondes bei der Gartenschau in Stoke-on-Trent, England. Die Farben der Kieseln leuchten unter Wasser besonders.

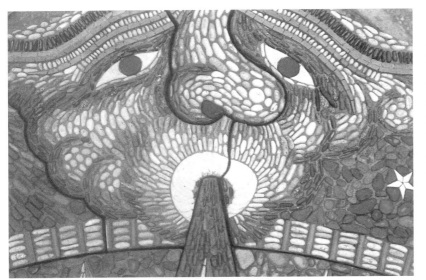

Menschen und Tiere

Kleine Strichmännchen, wie sie Kinder malen, lassen sich leicht aus Schiefer- oder Fliesenstreifen herstellen. Mit ein wenig Phantasie arrangiert, können sie sehr ausdrucksstark sein, am besten wirken sie vor einem kontrastreichen Hintergrund. Mit bekleideten Figuren kann es Probleme geben, wahrscheinlich wird der Versuch, z.B. Einzelheiten moderner Kleidung darzustellen, eher frustrierend enden. Wird die Kleidung nicht stilisiert oder als Dekor dargestellt, empfiehlt es sich, Figuren eher in asexueller Nacktheit zu skizzieren oder aber die Kleidung lediglich in der Gesamtsilhouette anzudeuten.

Oben:
Die Kiesel wurden nach Farben sortiert, um die Konturen dieses Gesichtes hervorzuheben, das den blasenden Wind symbolisiert.

Rechts:
Ein Mosaik der Autorin, das ein keltisches Motiv ineinander verschlungener Menschen aufgreift, um die Beziehung zwischen Mensch und Natur auszudrücken.

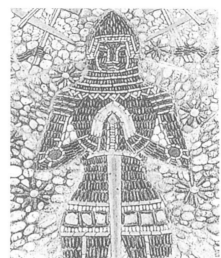

Ein mittelalterlicher Ritter als Kieselmosaikfigur. Schwarze lange Kiesel sollen ein Kettenhemd darstellen, während das Schwert aus einem einzelnen, abgeschrägten Stück Schiefer geschnitten wurde. Hier konnten durch einzelne Steine Details wie Ellbogenschutz und juwelenbesetzter Schwertgürtel dargestellt werden.

Oben links:
Dieses Mosaik in Whitehaven in Nordwestengland zeigt ein beschriftetes Band und das Flachrelief einer Meerjungfrau, beides aus Steinplatten geschnitten. Der Körper der Meerjungfrau ist weitgehend eben, die Linien wurden mit einem Winkelschleifer maximal 20 mm tief eingeschnitten. Die Schuppen auf ihrem Schwanz sind typisch für die gekrümmten Kerben, die sich mit diesem Werkzeug leicht herstellen lassen. Die Inschrift wurde von Hand mit Hartmetallmeißeln angebracht.

Unten links:
Schieferstücke sind für menschliche Figuren besonders geeignet. Dieses Mosaik wurde für einen Spielplatz für behinderte Kinder entworfen.

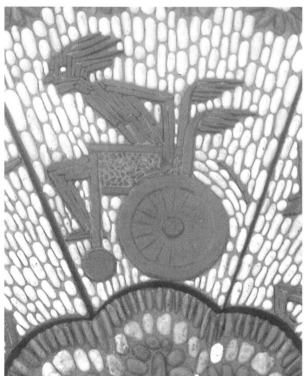

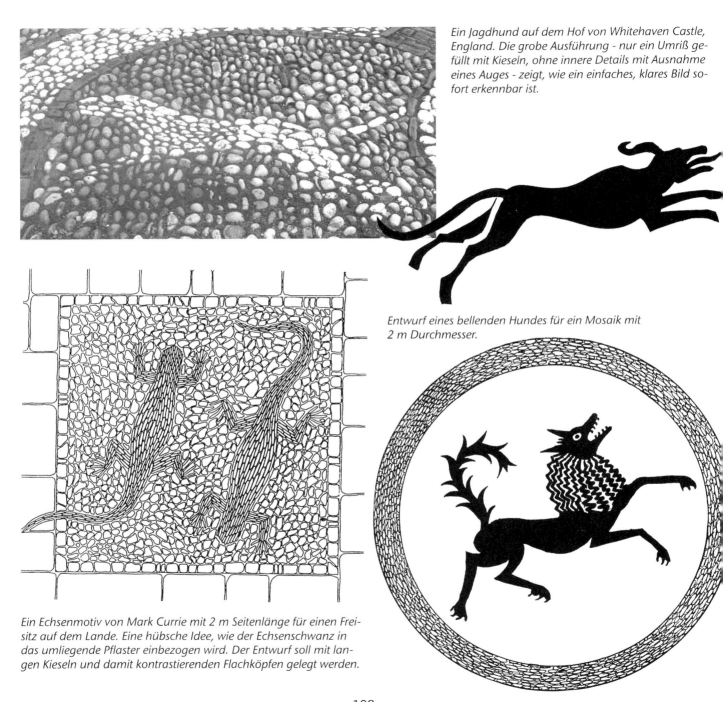

Ein Jagdhund auf dem Hof von Whitehaven Castle, England. Die grobe Ausführung - nur ein Umriß gefüllt mit Kieseln, ohne innere Details mit Ausnahme eines Auges - zeigt, wie ein einfaches, klares Bild sofort erkennbar ist.

Entwurf eines bellenden Hundes für ein Mosaik mit 2 m Durchmesser.

Ein Echsenmotiv von Mark Currie mit 2 m Seitenlänge für einen Freisitz auf dem Lande. Eine hübsche Idee, wie der Echsenschwanz in das umliegende Pflaster einbezogen wird. Der Entwurf soll mit langen Kieseln und damit kontrastierenden Flachköpfen gelegt werden.

Schiefer ist ein ausgezeichnetes Material, um lange, spitze Formen darzustellen, welche die gewinkelten Flügel vieler Vögel ebenso wie die Geschwindigkeit ihres Fluges suggerieren. Solche Winkelstücke sind zu finden, wenn man Schieferabschnitte oder Abfallstücke kauft, bei denen die Maserung senkrecht zur Oberfläche verläuft.

Kleine Stücke können mit Hammer und Meissel, den man entlang der Maserung ansetzt, gespalten werden (Schutzbrille tragen, um die Augen vor herumfliegenden Splittern zu schützen!). Schiefer kann auch gebrochen und „gebogen" werden, um gekrümmte Linien zu formen. In diesem Fall werden etwa 12 mm breite Streifen mit der Maserung parallel zum Boden gelegt und gebrochen. Man kann Streifen bis 25 mm Breite brechen, was jedoch mit zunehmender Breite schwieriger wird. Die zerbrochenen Stücke werden dann wieder mit der Maserung nach oben zusammengesetzt, um Linien in das Mosaik zu bringen. Beim Spalten von Schiefer entsteht immer eine Menge Abfall, auch mit viel Übung.

Unten:
Dekorative Vogel-Entwürfe der Autorin, geeignet für Mosaike mit etwa 2 m Durchmesser.

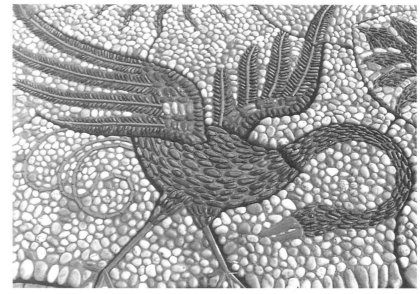

Lange schwarze Kiesel, sorgfältig nach Größe sortiert, sollen Federn darstellen. Die Längsrippen wurden aus gespaltenem, gebogenen grünlichen Schiefer hergestellt. Besonders reizvoll sind die Beine und der Schnabel aus behauenem grünen Schiefer sowie das Auge aus schwarzem Marmor. Die größte Wirkung geht jedoch von der schönen Form des Vogels aus, die im Kontrast zu dem hellen Hintergrund aus rundlichen Kieselsteinen steht.

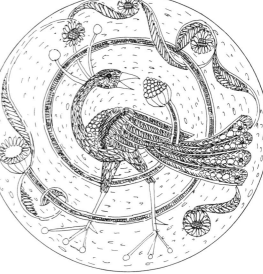

Dieses Mosaik (75 cm Durchmesser) basiert auf dem kleinen Delphin im unteren Entwurf. Er wurde, wie oft bei Kieselmosaiken üblich, bei der Ausführung vereinfacht. Es ist immer schwierig, die Steine der Zeichnung anzupassen, aber solange man mit einer klaren und sauberen Idee beginnt, kann man die Ergebnisse gewöhnlich erkennen.

Schiffe und das Meer

Maritime Bilder bieten eine Menge attraktiver Motive für Kieselmosaike. Die Auswahl ist groß: Boote, Segelschiffe, Wellen, Neptun, Meerjungfrauen und Wassermänner, Taue, Anker, Muscheln, Kraken, Seesterne und alle möglichen anderen Fischarten.

Links unten: Die gefurchten Flossen und der Schwanz des Fisches bestehen aus behauenen Kalksteinplatten. Solche Einzelstücke kann man gelegentlich von Restauratoren erhalten. Es sollten harte Steine sein, möglichst ebenso haltbar wie die Kiesel. Die Schuppen werden durch die Wahl rundlicher Steine für den Körper angedeutet, eine Glasmurmel liefert ein gutes Auge. Gebrochener und gebogener Schiefer dient als Einfassung. Die runden Steine am Kopf sind ein künstliches Material namens Regulox, das zum industriellen Schleifen von Pigmenten für Farben und Glasuren verwendet wird. Der Kontrast zwischen dem aus hellen Steinen bestehenden Fisch und dem Hintergrund aus langen, dunklen Kieseln wird nicht nur durch die unterschiedliche Farbe, sondern auch durch die Form der Kiesel erreicht.

Rechts unten: Ein klares Delphinmotiv aus Portugal.

Rechts:
Der Fund langer, feingeformter Steine in einem durch eine Gletschermoräne fließenden Fluß beeinflusste diesen Delphinentwurf.

Links oben:
Dieses elegante kleine Schiff ist ein herrliches Motiv aus Lissabon.

Links unten:
Dieses Schiff wurde stark vereinfacht und stilisiert, um den Entwurf als Kieselmosaik aus-
zuführen. Die Takelage ist auf ein Minimum reduziert. Die Sonnenstrahlen und der Atem
des Windgesichtes geben den Kieseln des Hintergrundes eine interessante Bewegung.

Rechts oben:
Schiffsentwürfe für Mosaike mit 2,5 m und
3 m Durchmesser.

Rechts unten:
Dieser Entwurf mit Anker und Tau ist für ein
2,5 m großes Mosaik vorgesehen. Die
Schraffur des Ankers und des Taus deuten
die Lage und Richtung der Kiesel an.

Schönes Detail: Das Ineinandergreifen des Schiefers in der Mitte dieser Windrose.

Windrosen

Die Windrose ist ein einfaches Motiv für kleine Kieselmosaike; sie kann aber auch vergrößert in sehr großen Mosaiken eingesetzt werden. Das Thema paßt wunderbar in einen Garten. Es ist immer gut zu wissen, wo Norden und Süden liegen, und man kann auch Buchstaben hinzufügen, um eine oder alle Himmelsrichtungen zu kennzeichnen.

Oben:
Dieses Motiv aus Portugal erzielt einen dreidimensionalen Effekt durch die abwechselnd schwarzen und weißen Ebenen.

Rechts:
Entwurf der Autorin für ein 5 m großes Mosaik, das auf einer alten Kartenillustration beruht. Es enthält Zwischenhimmelsrichtungen und einen Kreis mit ausdrucksstarken Windgesichtern.

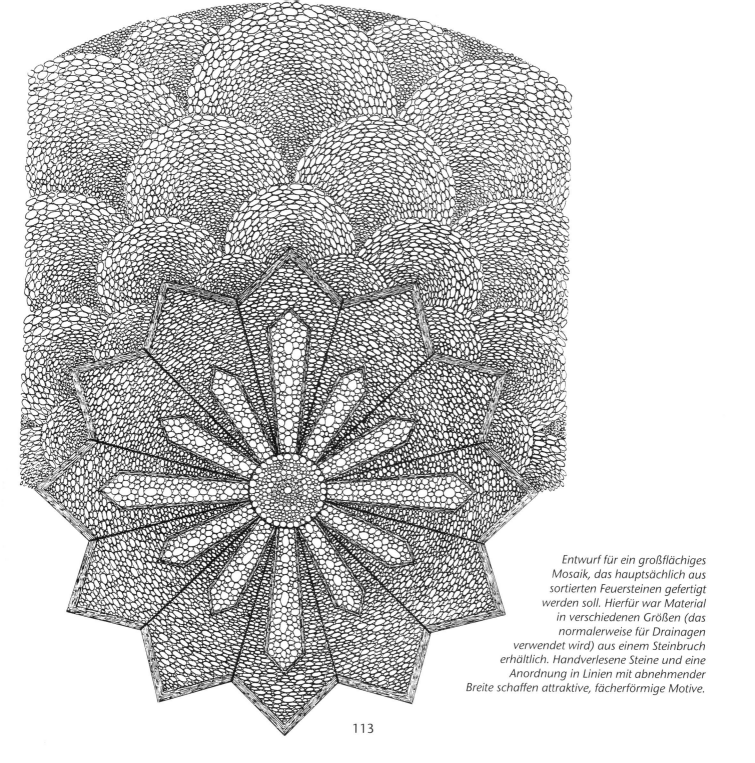

Entwurf für ein großflächiges Mosaik, das hauptsächlich aus sortierten Feuersteinen gefertigt werden soll. Hierfür war Material in verschiedenen Größen (das normalerweise für Drainagen verwendet wird) aus einem Steinbruch erhältlich. Handverlesene Steine und eine Anordnung in Linien mit abnehmender Breite schaffen attraktive, fächerförmige Motive.

Knoten und Labyrinthe

Sowohl keltische wie islamische Quellen zeigen sehr viele Knotenmuster mit eindrucksvollen Verflechtungen. Die vielen verschiedenen Arten von Irrgärten und Labyrinthen sind ebenfalls ein gutes Thema für Kieselarbeiten. Hier können nur zwei Beispiele gezeigt werden, aber es gibt viele Bücher, in denen man sich informieren kann. Suchen Sie einfache Muster aus! Auch wenn manche Motive noch so schön sein mögen, sind die meisten zu kompliziert zum Nachbauen, es sei denn, das Mosaik ist sehr groß.

Oben:
Dieses kleine Mosaik im Format 160 cm x 80 cm, entworfen für eine Schule für sehbehinderte Kinder, bietet neben einem interessanten Muster eine Fülle von Tasterlebnissen.

Gedenkmosaike

Ihre Dauerhaftigkeit und Haltbarkeit machen Kieselmosaike zum geeigneten Medium für das Andenken an besondere Ereignisse wie z.B. Geburt oder Tod. Ebenso können öffentliche oder historische Ereignisse Anlaß für ein dekoratives Mosaik geben, das dann z.B. auf einem öffentlichen Platz, in einer Grünanlage oder an einer Gedenkstätte angelegt wird.

Für ein Kieselmosaik sind alle möglichen Steinarten geeignet, und viele Leute können

Oben links:
Ein Entwurf der Autorin für einen traditionellen Irrgarten, in dem die gesamte Anordnung durchschritten werden muß, um zum Zentrum zu gelangen. Das Muster macht vor allem Kindern viel Spaß und bietet außerdem ein attraktives Motiv.

Links:
Ein einfaches Mosaik für ein Familiengrab als Alternative zu den üblichen Marmorsteinen. Das Kieselmosaik behält sein dekoratives Erscheinungsbild, auch wenn die Verwandschaft das Grab nicht regelmäßig pflegen kann. Jedes Familienmitglied brachte eine Auswahl an Kieseln und so entstand eine variantenreiche und wunderschöne Sammlung, die alle in den Entwurf eingebaut wurden.

sich am Steinesammeln beteiligen. Ich hatte unlängst den Auftrag, einen „Geburtsstein" für ein Kind anzufertigen. Man bat alle Familienmitglieder, Paten und Freunde, zur Taufe einen besonderen Stein mitzubringen; diese Steine wurden dann zu einem Motiv „Baum des Lebens" arrangiert. Die Aufgabe, einen besonderen Stein mitzubringen, war für die Gäste interessant und sorgte für Unterhaltung bei der Tauffeier; obendrein hat das Ergebnis nun eine dauerhafte Bedeutung für das heranwachsende Kind.

Ein Geburtsstein für ein Kind. Von Freunden und Familienmitgliedern gesammelte Kiesel bilden die Früchte am Lebensbaum. Der Hintergrund aus Kies schafft einen guten Kontrast zum Motiv in diesem kleinen Mosaik mit nur 600 mm Seitenlänge.

Mosaike von Kindern

Die meisten Kinder spüren die von Kieseln ausgehende Faszination und haben auch am Mischen und Formen von „Betonkuchen" Freude. Die technischen Voraussetzungen, die notwendig sind, um haltbare Kieselmosaike herzustellen, sind für Kinder jedoch schwer nachvollziehbar, und ihre Enttäuschung ist groß, wenn das Ergebnis nicht gut gelingt. Da die Herstellung von Bildern ausschließlich mit Kieseln schwierig ist, können Kinder auch andere Materialien hinzunehmen, mit denen dies leichter möglich ist (siehe auch Seite 88). Kleine Gußmosaike können mit Einwegformen hergestellt werden, die überall zur Hand sind, etwa Tomatenkistchen mit festem Boden aus Hartfaser. Kinder sammeln ihre eigenen Kiesel, die mit zerbrochenen Fliesen und Steinplatten, mit bunten Glassmalten und verschiedenfarbigen Steinen ergänzt werden. Die Bilder können entweder so gefertigt werden, daß man die einzelnen Bestandteile in den feuchten Beton (der in eine Form

Diese Tomatenkisten-Mosaike wurden von Kindern an der Flimby School in Cumbria, England, gefertigt. Sie enthalten farbige Fliesen, kleine helle Smalten und größere Steine, mit denen die Kinder leichter umgehen können als mit den kleinen Kieseln.

gefüllt wurde) drückt, oder indem man sie auf dem Boden der Form in Sand setzt und diese dann mit Beton auffüllt. Beide Methoden benötigen eine beträchtliche Erwachsenenaufsicht, um sicherzustellen, daß die Kin-

der mit dem Beton vorsichtig umgehen, und auch, um ihnen zu helfen, brauchbare Resultate zu erzielen. Der Erfolg ihrer Mühe kann reizend sein und ist auch eine gewisse Zeitlang haltbar.

Buchstaben und Zahlen

Jahreszahlen und Hausnummern, Inschriften und Mottos können ebenfalls als Kieselmosaike gelegt werden. Buchstaben müssen einfach sein und von offener Form. Die dafür verwendeten Kiesel sollten sich farblich gut vom

Hintergrund abheben. Lange Kiesel, die quer zur Breite der Buchstaben gelegt sind, sind sehr wirkungsvoll wie der hier gezeigte spanische Willkommensgruß zeigt(Seite 117, links oben).

Ein aus einer Schieferplatte geschnittener Buchstabe, eingefügt in ein Kieselmosaik.

Diese präzisen römischen Zahlen werden in Portugal mit einer Schablone hergestellt.

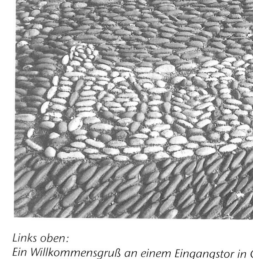

Links oben:
Ein Willkommensgruß an einem Eingangstor in Cordoba, Spanien, von Raphale Gimenez.

Rechts oben:
Eine Jahreszahl im landestypischen Stil bei Lytham St Annes, England.

Links unten:
Diese klassische Inschrift bei der Villa Garzoni in Italien zeigt, wie sauber man mit sorgfältig gewählten Kieseln arbeiten kann.

Weitere Bücher im ökobuch Verlag

Gottfried Haefele, Wolfgang Oed, Ludwig Sabel

Hauserneuerung

Instandsetzen - Renovieren - Modernisieren: Anleitung zur Selbsthilfe. Das Buch beschreibt den behutsamen, handwerklich sachgerechten Umgang m. alter Bausubstanz. 237 S., 200 Abb., 21x21 cm, 9.Aufl. 2005 25,50 €

Ingo Gabriel, Heinz Ladener, Hrsg.

Vom Altbau zum Niedrigenergiehaus

Energietechnische Gebäudesanierung in der Praxis: Katalog erprobter Wärmedämmkonstruktionen, Empfehlung zur Haustechnik-Erneuerung, Tipps zu Ausschreibung und Ausführung. 5. Aufl. 2006, 272 S., geb. 29,90 €

Claudia Lorenz-Ladener, Hrsg.

Lauben und Hütten

Einfache Paradiese zum Selbstbauen. Bauanleitungen für einfache Behausungen (Tipi, Baumhaus, Kuppelbau etc.), sowie leicht zu errrichtende Lauben für den Garten. 3. Aufl. 2006, 190 S. m. v. Abb., geb. 22,50 €

Daniel Mack

Möbel aus Wildholz

Wieviel Äste braucht ein Stuhl? Der Autor stellt moderne Wildholzmöbel vor und beschreibt, worauf es bei der Holzauswahl ankommt und wie Wildholz zu Möbeln zusammengefügt wird. 168 S. m.v.Abb., 2004 25,50 €

Susie Vaughan

Einfach Korbflechten

Mit Ruten und Zweigen aus dem Garten oder der freien Natur geschmackvolle Körbe in interessanten Farben herstellen. Mit Schritt-für-Schritt-Anleitungen. 1. Aufl. 2005, 72 S. mit durchgehend farbigen Abb., 13,90 €

Jon Warnes

Mit Weiden bauen

Anleitungen für Zäune. Laubengänge, Wigwams, Sitzplätze und grüne Kuppeln, die zeigen, wie viele schöne, nützliche Dinge sich aus Weiden herstellen lassen. 2001/2003, 60 S. m. vielen farb. Abb., geb. 12,95 €

Gernot Minke

Dächer begrünen – einfach und wirkungsvoll

Praxisnaher, leicht verständlicher Ratgeber, der zeigt, wie Wohn- und Bürogebäude, Garagen und Carports mit einem Gründach ausgestattet werden. Mit Konstruktionsdetails von Dachaufbauten, Begrünungssystemen, Kosten und Hinweisen für den Selbstbau. 2000/2003, 94 S. 12,70 €

Gernot Minke

Das neue Lehmbau-Handbuch

Ein umfassendes Lehrbuch und Nachschlagewerk, das die ganze Vielfalt der Einsatzmöglichkeiten und Verarbeitungstechniken des Baustoffes Lehm zeigt und die materialspezifischen Eigenschaften praxisnah erläutert. 6. Aufl. 2006, 340 S. m. vielen z.T. farb. Abb. geb. 35,30 €

Gernot Minke, Friedemann Mahlke

Der Strohballenbau

Ein Konstruktionshandbuch, das Konzeption, Bautechnik und Details beschreibt, um aus Strohballen gut gedämmte, dauerhafte Häuser zu bauen. m.viel. Beispiel. 1.Aufl. 2004, 142 S.m.v.farb. Abb., 17x24 cm 15,90 €

Heinz Ladener, Frank Späte

Solaranlagen

Grundlagen, Planung und Bau solarer Wärmeerzeugungsanlagen. Kompendium der Sonnenkollektortechnik: Warmwasserbereit., Schwimmbad- u. Raumheizung, Großanlagen. 8. Aufl. 2003, 265 S.m.v. Abb. 29,60 €

Heidi Howcroft

Gestalten mit Holz im Garten

Bodenbeläge, Holzdecks, Zäune, Rankgerüste, Lauben. Bauanleitungen und Gestaltungsideen für Nützliches und Dekoratives aus Schnittholz und grünem Holz, die zeigen, wie vielfältig sich Holzwerk in den Garten einbinden lässt. 135 S. m.v. Abb., 21 x 21cm geb. 2. Aufl. 2006 19,90 €

Barbara Eder, Heinz Schulz

Biogas-Praxis

Nach den Grundlagen werden Substrate, Anlagentechnik, Gasverwertung, usw. ausführlich beschrieben, außerdem Vergärung nachwachsender Rohstoffe, Anlagenplanung, Kosten und Wirtschaftlichkeit, Hygienisierung, Beispiele ausgeführter Anlagen. 3. Aufl. 2006, 237 S.m.v. Abb., geb. 28,90 €

Alan und Gill Bridgewater
Bauen mit Frischholz
Frisches grünes Holz ist ein ausgezeichnetes Material, um mit einfachen Werkzeugen und in kurzer Zeit schöne, nützliche Dinge für den Garten herzustellen: Behälter, Spaliere, Bänke, Zäune, Obeliske, Sichtschutzelemente, u.v.m. 1. Aufl. 2002, 80 S. m.v. farb. Abb., A4 geb.   18,90 €

Barbara und Franz Eder
Pflanzenöl als Kraftstoff
Autos und Verbrennungsmotoren mit reinem Pflanzenöl antreiben. Technische Systeme und Umbaumaßnahmen, Einkauf, Lagerung und praktischer Betrieb. 3. Aufl. 2006, 110 Seiten m.v. Abb.   11,90 €

Annelore und Susanne Bruns
Biogarten Handbuch
Anleitung zum naturgemäßen Gärtnern in Bildern. Hier wird in kurzen Texten und anschaulichen Bildern das notwendige Wissen vermittelt, um erfolgreich den Boden zu bestellen und reichhaltig gesundes Obst und Gemüse zu ernten. 141 S. m.vielen Abb., 17x24 cm, 2004   13,90 €

Annelore und Susanne Bruns
Werkbuch Biogarten
Anleitung zum handwerklichen Arbeiten in Bildern: Bau von Kompostbehältern u. Frühbeeten, Pflanzengerüsten, kleine lagerkeller, Kräuterspiralen, Vogelnistkästen u.v.m. 112 S. m.vielen Abb., 17x24 cm, 2004   12,90 €

Hans-P. Ebert
Heizen mit Holz
Günstiger Holzeinkauf, Zurichten des Waldholzes, Lagerung und Trocknung, Anforderungen an Feuerstelle und Schornstein, die verschiedenen Ofentypen und ihre Einsatzbereiche. 157 S. m.v.Abb., 11. Aufl. 2006   10,95 €

Thomas Holz
Holzpellet-Heizungen
Ein Ratgeber. Technik, Bauformen, Einsatzbereiche und Planung von automatischen Holzpelletheizungen, Genehmigung, Förderung; Produktübersicht. 3. Aufl. 2006, 103 S. m.v. Abb.   9,95 €

Claudia Lorenz-Ladener, Hrsg.
Holzbacköfen im Garten
Detaillierte Bauanleitungen vom einfachen Lehmofen bis zum gemauerten Brotbackhäuschen. Mit vielen Erfahrungen und Ratschlägen sowie pfiffigen Tips u. Rezepten. 138 S.m.v.Abb., 9. Aufl. 2006   15,30 €

Charles Filleux, Andreas Gütermann
Solare Luftheizsysteme
Grundlagen, Planung und Ausführung solarer Luftkollektoranlagen zur Heizungsunterstützung. Kollektoren, Speicher, Systeme, neun ausgeführte Beispiele. 1. Aufl. 2005, 174 S. m. vielen Abb., 17x24 cm   19,90 €

Lynn Edwards, Julia Lawless
Naturfarben-Handbuch
Natürliche Farben und Anstriche für Wände, Holzböden und Möbel selbst herstellen und anwenden: Rezepturen, Maltechniken und kreative Raumgestaltung. Durchgehend farbig! 1. Aufl. 03, 190 S. 19x28,6 cm 29,90 €

Terre Vivante, Hrsg.
Natürlich konservieren
Die 250 besten Rezepte, um Gemüse und Obst möglichst naturbelassen haltbar zu machen und ein maximum an Vitaminen, Nährstoffen und Geschmack zu erhalten. 157 S. m.v.Abb., 1. Aufl. 2005   13,90 €

Unsere Bücher erhalten Sie in allen Buchhandlungen.

Preisstand: 1.1.2007 - Änderungen vorbehalten!

In unserer *Versandbuchhandlung* haben wir über 300 Titel auf Lager, die Sie direkt bei uns bestellen können, und zwar zu folgenden Themen: Solararchitektur - Bauen & Selbstbau - Nutzung von Sonnen-, Wind- und Wasserkraft - Bioenergie - Energiekonzepte - Land- und Gartenbau - Tierhaltung - gesunde Küche - und vieles mehr ....

Fordern Sie einfach die große Buchliste an bei:

ökobuch Verlag & Versand GmbH
79216 Staufen · Postfach 1126 · ☎07633-50613
☎ 07633-50870 · email: oekobuch@t-online.de · http://www.oekobuch.de/